JN084225

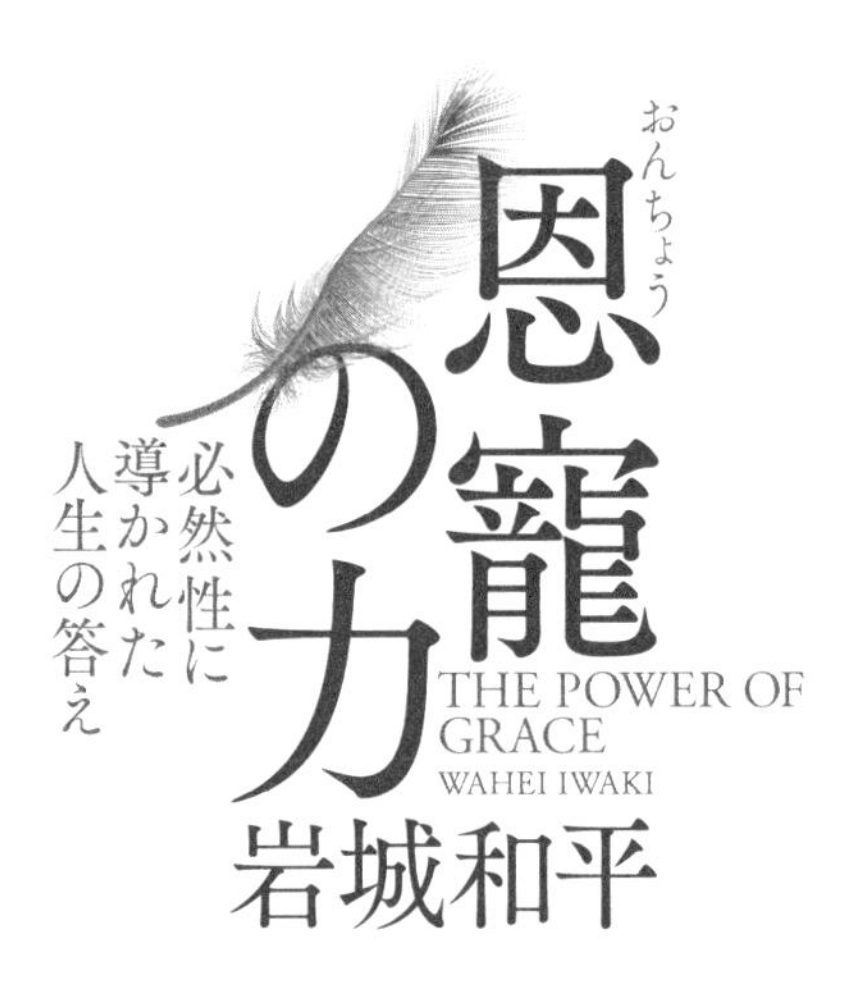
おんちょう
恩寵の力
必然性に
導かれた
人生の答え
THE POWER OF
GRACE
WAHEI IWAKI
岩城和平

蓮華舎
Padma Publishing

恩寵の力

おんちょう

The Power of Grace

必然性に導かれた人生の答え

岩城和平

蓮華舎

装幀
芦澤 泰偉

本文デザイン
児崎 雅淑
（芦澤泰偉事務所）

あなたが求めているものは
あなたに求めさせているものである

はじめに

人生とは愛の物語です。

我々がこの世界に生を受けたとき、我々は愛に包まれてこの世界にやってきます。天からの祝福と両親の愛。あらゆるものが我々の誕生を喜びと共に祝います。そして、成長する過程においても、周りの人たちの愛を一身に受けて育ちます。

愛されることを通して育まれた愛は、他者や生きとし生けるものを愛するという心を育て、人間の本質そのものを成熟させていきます。

我々は愛を学ぶために人生を生きていると言っても過言ではないのです。

ところが、どこかでボタンの掛け違いが起こり、すべてのタイミングがズレてしまうと、我々は愛の王道から大きく道を逸れてしまいます。人生における足掻きは、まさに、この王道に戻ろうとして起こっていることなのです。

いったん逸れた道に戻るのはそう簡単ではありません。愛の王道から逸れた原因が愛の欠如であるため、愛以外の解決法を求めるからです。しかし、求めては裏切られることを繰り返していれば、いつの日か、期待することに疲れ果ててしまいます。こうして、多くの人は愛から遠ざかってしまいます。

しかし、なぜこのようなことが起こるのかというと、それは真の愛に目覚めるためです。これらの出来事から人生が愛であることを学びます。そして、その出来事はまた、すべてが「絶対者」から来る無限の慈悲でもあるのです。

私の歩んできた人生は一風変わっていますが、出来事は勝手に起こり、勝手に展開していきました。私は何もしていません。出来事の集積が積もり積もった人生です。そして、すべての出来事や事象は関連し合い、私にとって見事なまでのストーリーを描いてきました。

このようにして紡ぎ出された人生は、どこからどう見ても必然性に満ちており、そこに見出されるのは愛なのです。

私が、我が師ミンリン・ティチェンと出会ったのは、私がまだ二十歳の頃でした。私は、十八歳の頃からインドやチベットの仏教を学んでいました。この当時はサキャ派の寺でチベット仏教の修行をしており、その寺で仲の良かった僧侶の縁で、ミンリン・ティチェン師と会うことができ、それから十年間にわたって師事させてもらうことができました。二十六歳からは三年間にわたって、チベット仏教ニンマ派のミンドリン寺に伝わる南伝のゾクチェンという修行の奥義を学びました。

毎朝十時に師の部屋に赴き、一、二時間にわたって教えの伝授と前日の修行の問答が行われました。このような学習が三年間続いたのち、伝授も終わり、日本に戻る際に起きた出来事を、私はいまだに忘れることができません。

私が師の元を去る日、師を訪問すると、師は私を全く見ることなく、読めないはずの英語の雑誌をひたすら読むふりをしていました。その間、私はずっと師の次女と話をしていました。子どものように目をクリクリさせながら嬉しそうに笑う師しか見たことがなかったので、この明らかにおかしな態度に私は混乱していました。しかし、心の中では「これが師との今生の別れなのではないか？」という不安を抱えていたこともあり、絶望感に支配されていきました。

そして、いよいよお暇という頃になって、師は手にしていた雑誌を横に投げると、私の目を凝視し、近くに寄れと手招きしました。私は近づき平頭すると、師は渾身の力を込めて私の背中に強烈な一撃を食らわせました！　近くにいた娘も、はじめて見る光景に思わず驚きの声が出てしまったほどでした。

その一撃は背中を貫き魂に突き刺さりました。肺から空気が抜けると共に、頭は真っ白な状態になり、完全なる静寂が支配しました。

まさにその一瞬、すべては完璧でした。

しばらくして顔を上げると、いつもの師らしいニコニコとした笑顔になっていました。ただ、いつもと違っていたのは、目には涙が光っていたことです。

そして、師は最後の教えを説きました。


もし、お前が、私との愛の誓いを忘れなければ、私はお前と共に在る。

もし、お前が愛によって生きるなら、私の教えはお前と共に在る。

私の教えは愛だけである。

愛こそがすべてである。


さあ！　行きなさい。

お前のなすべきことは、ここではなく日本にあるのだから。

私は、あまりの極限状態で泣いていました。師も、そして娘も泣いていました。部屋全体を究極の愛が満たし、すべてを輝かせていました。そして、「これが答えなのだ」ということも理解できました。その瞬間、私はそこで宇宙を経験していました。そこではすべてが完璧でした。

これほどの愛が存在するでしょうか。

愛は意志のある生き物のようにそこに存在しており、それは生き生きとして、それ以上にリアルなものは存在しないというくらい、リアリティーに満ちたものでした。

しかし、程なくすると、このすべての経験は単なる記憶となってしまいました。これが、真実を覆い隠す「マーヤ」（82ページ参照）というものの作用によるものであると理解したのは、それから何年も経ったのちのことです。そして、このときを最後に、今生で師に会うことはありませんでした。

しかし、その愛は私に受け継がれています。こうして日本で生きながら、その愛は消えることも、また衰えることもなく日々私の中で輝きを放っています。焚き火の炎から飛び散る火の粉が新たなる炎を生み出すように、愛の火花はこうして伝承されていきます。

これが、愛の道標であり、稀有なる機会であり、恩寵です。そしてその恩寵のためになされる努力こそが、私たちがなすべき努力です。

真理は、求めぬ者には与えられません。長くつらい階段を登り終え、その頂に立たなければ、真理を摑み取ることはできません。ここに到達して、はじめて答えを知ることになるのです。

真理のことを、私は「神」と表現します。神の存在を信じるか信じないかは個々の信念に委ねられますが、神がいるかいないかは、その存在を確認しなければ答えることができません。人間は「神を信じない」と言うことはできますが、神の探究をしたことがなければ、「神がいない」とは言えないのです。しかし、もし探究の結果として神が不在だったのならば、それはその人にとっての答えかもしれません。人間は十人十色です。私からすれば、その人にとっての神の不在でさえも、神の計画です。それぞれの人が自らの人生で到達していく結論は、すべからく神の計画に基づいており、すべてが、神の愛によってなされているのです。

現代はスマートフォンの急激な普及により、世界は変貌を遂げています。自由にインターネットにアクセスすることができるようになり、世界中の考え方や意見を知ることができます。これは、世界の隅々にまで、人類に共通認識を行きわたらせるのに効果をあげています。

虐げられていた人たちが発信によって自由を獲得するなど、インターネットは素晴らしい効果をもたらしている一方で、日本においては、マイナスの働き方が目立ちます。街に行けば、レストランでも電車でも、全員がインターネットの世界に乗っ取られています。以前は、皆、ぼけっとしながら座ったり、考え事をしていたり、人それぞれでした。しかし、このような「何もしない時間」こそが人間には大切なのです。このときに、人は自分の人生のことを思索するわけです。考える暇を与えないスマートフォン文化は、我々にとって良くも悪くも最大の「マーヤ」かもしれません。

しかし、私はこの本の出版にあたって、すべての原稿を完全にスマートフォンによって仕上げました。スマートフォンの時代になったからこそ本が完成した、と言っても過言ではありません。また、出版にあたっては、不思議と流れが勝手に出来上がっていくので、私は「みこころ」(75ページ参照)を噛み締めております。

本の執筆にあたっては、前半部分は私のスマートフォンによる書き下ろしですが、後半は蓮華舎の大津明子さんが、私の講話の録音から文字起こしをされたもので、大津さんの努力の賜物です。

私の話は、基本的には相手の知識や理解に合わせ、質問者の次元で答えています。意識とは平面的なものではなく、立体的で奥深いものです。よって、平面的なレベルで測ることはできません。私の意識は、質問者が質問を投げ掛けてくるとその次元に飛び、そこから質問に対する答えを話しはじめます。そのため、質問の内容によって、名称や表現の仕方、答えすらも微妙に異なる場合があります。当初、これらを修正するかどうか思案しましたが、話の流れを考えると、録音になるべく忠実にした方が良いと判断しました。

質問に対する答えでは、特に「みこころ」や「マーヤ」に関しては、人に応じて変幻するため、答えを統一することはできません。しかし、私の説明する「絶対者」と「みこころ」そして「マーヤ」の構造が矛盾することはありません。これらは私の教えていることの中でも核となるものですので、本文中に詳しく取り上げています。

何しろ我々が扱っているものは三次元世界に限定されるものではないので、基本的に論理ではないのです。答えはあらゆる次元に飛び散ることもあるので、そのあたりを頭の片隅において、読んでいただければと思います。

今回こうして、多くの方々の「人力」という尽力と、必然的な流れである「神力」のすべてが一体となってこの本は出来上がりました。

この一冊が縁ある人たちの手元に届き、私が自らの人生から得られた経験を共有することができれば、光栄です。

二〇二一年　七月四日

岩城和平

目次

第二部 講話と問答

第一部

みこころと共に

私自身のこと

まずはじめに、私自身の話を少ししていきたいと思います。

私がなぜ、どのようにしてギフトを賜ったのかを、紹介していきます。

近年のスピリチュアルな世界では、人生のストーリーにはあまり意味がないと考える傾向もありますが、私はそうは考えません。なぜならば、その人がどの時代にどこの国でどの言語で生活するのかということは、その人自身の傾向を決定するからです。もちろん、それらは真理とは言えませんが、そこには真実が存在しています。真実とはその人を証し立てるものであり、その人が何をするべきなのかを雄弁に物語ります。

人生とは我々の師であり、我々はその人生という師からしか学ぶことはできないのです。この辺りの詳しい説明は、またのちほどゆっくりしていきたいと思います。

（1）

私は一九六五年に東京都杉並区で生まれ育ちました。戦後の復興にわく、日本の一番乗った時代です。この最も恵まれた時代に、私は俳優の両親の元に生を受けました。

母は北海道小樽の出身で、子どもの頃から目を閉じると観音様が見えるという、少し変わった眼を持っていました。

ある夏祭りの夜、不思議な出で立ちをした行者が、忽然と祖父の前に現れたといいます。すると行者から「其方はとても徳の高い顔相をしておる。其方は財産か子孫かどちらを望むか?」と聞かれ、祖父は「子孫」と答えたそうです。すると行者は祖父の手に梵字(ぼんじ)を書くと、どこへともなく消えていったといいます。そのような恩寵によって生まれた子どもたちは全部で十一人。全員が額に大きなほくろを持っていました。このような不可思議な因縁によって生まれた母には、子どもの頃から少し特殊な能力が備わっていたそうです。

目を閉じると金色の観世音菩薩が見えていた母は、何かをなすときには、この観音様に行って良いかどうかを尋ねると、観音様は必ず返事をしてくれたといいます。そんな母が東京へ出てきて役者の道を志すと、同じ劇団員であった父と出会い、結婚することとなりました。

父は戦前、横浜の中心地の恵まれた環境に育ちました。戦争が始まると陸軍士官学校へ進み、志願兵となりました。飛行兵となった父は教官になり、終戦までを朝鮮で過ごしました。多くの教え子が空に散っていくなか、父は戦火のない朝鮮の田舎で、のんびりしつつも厳しい軍規の下で生活していたそうです。終戦を迎え、復員したのち、さまざまな時代の流れの変化のなかで、役者になることを志したのです。

そんなある日のことです。

満月の夜に母が眠りに就こうとすると、突然目の前が開け、あるはずの部屋の天井が消え去り、美しい月夜が目の前に広がりました。すると、綺麗に満ちた月から紫色の頭巾と衣を身にまとった観世音菩薩が、虹色の雲に乗って屋根の上に降りてくる光景を見たといいます。そしてこの瞬間に自らの懐妊を確信したということです。そのため、母は私のことを授かりものというよりも、「預かりもの」という認識を強く持っていました。子どもの頃は怒られたりもしましたが、基本的には大切に育てられました。

私が誕生した瞬間は、両手のひらを開き、眼を開けて産まれたと聞かされました。泣き声もどちらかというと笑い声に近かったと言われており、医師や助産師は仰天したそうです。

こうしてこの世に生を受けた私は順調に成長していくかと思われていましたが、生後三か月にして、命の危機に脅かされます。

この日、私は何かに反応し、いつになく激しく泣いたのち、呼吸が止まりました。全身がみるみる紫色に変色し、近くにいた父は絶望的な気持ちで心肺蘇生を行いました。父と将棋をしていた近所の若者が近くの病院に走っていき、医者を連れてくると、私の脈を見て、死亡と断定しました。母はそのとき銭湯に行っていたため、この惨劇を経験せずに済みました。しかし、程なくして私は息を吹き返します。その場にいた全員が驚くと共に安堵したといいます。

このとき、私は死の体験をしました。記憶するにはあまりにも小さかったため、私はこの経験を認識できる年齢になるまで、毎月のように臨死体験の夢を見続けることで、記憶の更新をしていました。

暗闇の中にいる自分、そして前方に輝く光の点、次にその点に向かって急加速すると、光に包まれ音楽のようなものが聴こえてきます。人の姿ではなく、光の源とおぼしき絶対的な存在を目の前にし、その存在から言葉をもらいます。しかし、言葉をいまだ認識しない私は、それを音楽として聴いています。この至福に満ちた状態をしばらく経験すると、再び闇に落ちていくところで目が醒めるのです。このような夢を私は十三、四歳になるまでしつこく見続けました。

これが臨死体験の記憶なのだと明確に認識したのち、この夢は見ることがなくなりました。しかし、毎月のように見ていた夢なので、今でも鮮明に思い出すことができます。

さらに私はひきつけを起こす子どもだったらしく、枕元には常にガーゼを巻いた割り箸が用意されていました。今でこそ、ひきつけてもそのままにしていて大丈夫だと言われていますが、当時は、目の前でひきつけを起こしている子どもが舌を噛むのではないかと心配するのは、普通のことだったようです。

こうして私の親不孝が始まり、この後小学生になるまでに二度海で溺れ、いずれも心肺蘇生で事なきを得ています。

最後に溺れたのは小学生の低学年のときでした。近くの区民プールで溺れたのですが、このときは小学生だったということもあり、はっきりと覚えています。プールの底までゆっくりと落ちていく自分と、その上で足をバタバタさせながら通過していく子どもたち。時間はスローモーションになり、静寂に包まれます。水上の子どもたちの声や水の音が遠くで聞こえ、私はとてつもない平安を経験します。しばらくすると闇に包まれ、さらなる無の世界に落ちそうになるところで、監視員に救出されます。

もちろん既に意識は失われていたので、これまた心肺蘇生によって蘇りました。

こうして、子どもの頃から生と死を行き来していた私は、漠然と自分が他の人たちとは違うことに気づいていました。

霊が見えたりオーラが見えたり、さらにはそれ以外の不可思議な体験もしばしば経験していました。また、音楽を聴くと色が見えたり景色が見えたりと、音に対しても非常に敏感でした。さまざまな音が奏でるこの世界には、さまざまなカラーが溢れていました。特に、旅行に行ったりすると、自然は輝いて見えました。その反対に、都会などのエネルギーの悪い場所や悪い人たちからは、暗い色が出ているのが見えていました。

当時、臨死体験はまだ未知の世界でした。近年では、臨死体験者の多くが似たような経験をしているため、積極的に研究され、多くの研究と報告がなされています。大人になってからの臨死体験では、神に出会ったり、既に亡くなっている親族に出会ったりと、バラエティーに富んでいるようです。

私の臨死体験は、あまりにも認知機能が未発達な幼少期であったため、そこで体験したことはより感覚的です。しかし、光と音という実に抽象的な感覚ですが、その分余計な観念で脚色されておらず、より本質的であるようにも感じます。

しかし、これらの体験は必要な人に必要性があって起こるものなので、何が正解なのかではありません。この経験をすることが重要なのです。


後年のあるとき、私は、チベットの師匠の娘さんで、ご自身も活仏でもある方とインドのシッキムを旅していました。彼女は父が活仏であり、ニンマ派という宗派のトップという、相当特別な家庭環境で育っていました。それにもかかわらず、私の持つエネルギーと人生の軌跡を不思議がっていました。「これはいったいなんだ？」と私が発する独特なエネルギーに興味があるようでした。

ところがある夜、彼女の部屋で雑談をしながら何気なく話した私の臨死体験の話を聞くと、彼女は突然手を叩いて笑い「そうか、お前はデロクだったのか？　これですべての謎が解けた！」と言いました。

チベットでは、臨死体験者のことを「デロク」と呼び、一度死んだ者はある特殊な能力を授かってこの世界に戻ってくると言われているのです。一度死んだ人間は霊界との扉が開いたままになっているようで、いわば、何かが逆流するようになるのです。

人間にとって死は、未来にあります。しかし、臨死体験者の死は、過去にあるのです。もちろん未来にも本当の死があるわけですが、死が過去にあるということは普通はあり得ないことなので、本来の「死から来る叡智」というのは、死ぬまで与えられることはないのです。普通、人間は過去の経験が知識となります。過去にどのような経験をしたかで、それぞれが有する知識は変わってくるわけです。しかし、未来にあるはずの死というものを臨死体験で経験した人は、未来にあるべき知識を既に得てしまっているということになるのです。

（2）

五歳の頃には、母に連れて行ってもらったインカ帝国展のミイラに釘付けになりました。私からすれば、それはなじみ深い死の世界です。あまりにも強烈な感銘を受けた私は、帰り際にミイラのポスターを買ってもらい、部屋にそれらを貼って日々鑑賞していました。

ミイラの髑髏（どくろ）の写真は人間の死を物語っており、私は恐ろしさよりもそこに静寂を感じていました。私にとって死とは、自らの経験を通して静寂を意味していたのです。

私は心の浮き沈みの激しい性質でした。私が楽しいと周りの人も楽しくなり、私が落ち込んでいると、周りの人もその暗黒に引きずり込まれるという、その剝き出しの心に悩まされていました。その原因はやはり、死後の世界で得られる真の平安を知ってしまっているからです。この世界はあまりにも輝きがなく、心はざわつき、拷問のようなこの世界は私にとって苦痛以外のなにものでもありませんでした。

死後の世界に展開するあの平安と静寂が、究極の人間の状態であることを私は既に知っているわけですから、当然です。しかし、この世界や自分の肉体に対する執着もあるわけで、この板挟み状態ゆえに、心が落ち着くことはありませんでした。

八歳になったある日、私は両親の仕事の関係で京都の太秦の撮影所に来ていました。私は満一歳の誕生日に生命保険会社のコマーシャルに出演したのをきっかけに、子役として活動していました。ほとんどがコマーシャルでしたが、両親の立つ舞台に出演したり、テレビドラマに出演したりすることもありました。しかし、父には芸能の世界は自分たちの人生の領域であり、自分たちの都合で子どもをこの世界に引きずり込みたくないという思いがあり、私の出演は年に数本だけに留まりました。しかし、なんだかんだとこの仕事は十七歳くらいまで続けました。

その日は確か、大阪ガスのコマーシャル撮影でした。そのときは私は出演していなかったので、撮影の合間に両親のマネージャーと二人で京都の観光に行きました。この時点で、私は既に仏像少年になっていました。『カラーブックス』というシリーズの仏像の写真集が座右の書であり、学校から帰ってくると肌身離さず持ち、見ていたのを覚えています。

私は寺巡りにワクワクしていました。確か、前年にダイワハウスのコマーシャルでやはり関西に来ていたとき、仕事が終わってから奈良まで遊びに行き、興福寺や東大寺を巡って興奮したのも覚えています。

こうしていくつかの寺を巡り、最後に太秦まで戻ってくると、我々は広隆寺に行きました。そこで起こったことは、私の人生をさらに決定的なものにしました。

私は、国宝の弥勒菩薩像を前にして、忘我の状態に陥りました。そこにいたのは木造の弥勒菩薩ではなく、弥勒菩薩そのものだったのです。

私はこの経験から、自分の定めをはっきりと自覚しました。当時の広隆寺は今のように綺麗ではなく人も少なかったので、この三、四十分の間、ひとりでこの歓喜の状態に留まっていました。

以来、私は自ら仏画ばかりを描くような子ども時代を過ごしました。

幾度となく繰り返された臨死体験を通して実感している、向こう側の世界に在る至福。そして、肉体のあるこの世界の闇とのギャップ。この疑問は私を混乱させてきましたが、弥勒菩薩に出会ったときの経験から、肉体を持ったままで至福が体験できるとわかり、現実世界での探究が始まったわけです。

私は小学生の頃から絵画教室に通い油彩を習っており、中学生になると、あることをきっかけに仏画からキリスト教絵画へと移行しました。それは、ちょうどローマ法皇の来日に併せて開かれた、『ルネッサンス展』という展覧会を観に行ったことが始まりです。

そこではじめてキリストの絵を見たときに「あの人だ!」と、魂が理解したのです。「あの人」とは、広隆寺で見た弥勒菩薩のことです。姿形は全く違うものの、そこに同じ魂を感じた私は、それ以来、ルネッサンスの絵画技法を学び、一心不乱にキリストの絵を描き続けました。幸い使っていない部屋があったので、そこをアトリエとして常に七~八作を同時に描き続けていました。学校が終わると急いで家に帰り、夜になるまで一心不乱に描き続けました。

また小学生の頃、コックリさんが流行ったときのことです。私の家が友達とコックりさんをする場所になりました。当時の私の家には広い庭があり、大家さんがお守りする大きな稲荷が祀られていました。我が家でのコックリさんの反応は、素早く、力強く、圧倒的でした。はじめは皆、逃げ出したり怖気づいたりしていましたが、怖いながらもその御神示が的確であるため、私も興味を抱きました。その結果、コックリさんの代わりにペンを持つと自動書記が始まるようになり、それを書き留めるのが楽しくて仕方がありませんでした。ちなみに、そのときの御神示で書かれた内容は、のちに読んだ古神道の川面凡児(かわつらぼんじ)の『祖神垂示 霊魂観』という書物の内容とピタリと一致するものが多く、この本を読んだときには驚きを覚えました。この御神示は二十代になるまで、実家に帰ると起こる不可思議な現象でした。しかし、この手の霊的な体験は、今となっては私の中では「マーヤ」として片付けられています。マーヤについては術語解説に記しますが、私の人生ではこのような体験は大小にかかわらず、際限なく起こっていました。

中学生のときは毎日が悩みの日々でした。小学校のときには教師に指導力があれば、クラスが一体化する現象が起こります。これは運命的に乗り合わせた船のような感覚であり、ある種の良いエネルギーを作り出していたため、私にも多少良い感覚として感じられました。しかし、中学生ともなると、小学校のときのような人を育てる理念から、進学に重きを置いた理念へとベクトルが変わるので、こうした一体化はなかなか起こらなくなります。もちろん、子どもも成長し、個が目覚めてくることによって、意識がばらけてくるということもあります。こうした中学生生活は、私からすると救いのないものでした。唯一私を救ったのは、芸術の世界でした。学校にいるときのほとんどの時間を美術室で過ごし、自分の作品を描いたり、美術の先生と話したりして過ごすことで、なんとか学校へ通うことができました。同級生とバンドを始めたことも幸いしたと思います。私はドラムを担当し、のちにドラムやパーカッションは私の人生の一部になっていきました。

この頃は、まだ不登校という言葉もない時代ですので、なぜか学校に行かなければならないと思い込んでいました。今の時代なら、間違いなく学校には行っていなかったと思います。

こうして高校受験が近づいてきたある日、私は、俳優であった母親が、芸名を付けてもらったり、引っ越しを見てもらったりしている占い師のところに、私の入試の相談をするために連れて行かれました。

先生は自宅で鑑定を行っていましたが、私が部屋に入ると、先生は目を輝かせ、「頭の上に七色のオーラが見える」と言いました。そして、「こんなオーラを持つ人はなかなかいないから、修行の道を歩むべきだ」と言い、入試どころの話ではなくなってしまいました。ひとまず、「まだ若いから、自分が訓練する」と申し出てくれたので、それからというもの、月に数回先生の元に通いながら、修行を始めることになりました。

この先生の元では、主にキリストに関わる経験が多く起こりました。当時の私は両手両足と胸に常に痛みを抱えていましたが、先生のところに通うことにより、これがキリストとの霊通から来るものであると理解していたため、心配することはありませんでした。しかし、生活していて、突如として痛みが発生するのには手を焼きました。

高校に入ると、ひと月でガールフレンドができました。母親同士が知り合いだったこともあり、彼女の家族と家族ぐるみの付き合いに発展しました。また、彼女のお母さんは玉光神社の初代宮司であり、日本のヨーガ指導の草分けである本山博先生の生徒でもあったため、私は必然的に本山先生に引き合わせられました。はじめて先生にお会いしたときも、じっと私の頭の上を凝視しており、その後も先生は私のことをずっと気にかけてくれていました。

その日は本山先生主宰の団体の年次大会のときだったので、アヤン・トゥルクというチベットの高僧が講師として招かれていました。アヤン・トゥルクはチベット仏教ディグン・カーギュ派の活仏で、この当時から積極的にポワなどの瞑想法を海外に広めるべく活動しており、その教えの丁寧さには定評がありました。

この日、アヤン・トゥルクはポワ[1]とバルド[2]に関しての説法をされましたが、この説法の間、私は二つの明確でクリアーなビジョンを見ました。

ひとつ目は自分の目線から見たものでした。私がアヤン・トゥルクと同じ黄色の袈裟を着て寺院の回廊を歩いている映像です。外にはチベットの荒涼たる景色が広がり、行ったことも写真ですらも見たことのない土地の映像にびっくりしました。のちに、チベットの写真を見たときに、私が見たチベットと寸分違わなかったのには驚きました。

ふたつ目のビジョンは、第三者視点のものでした。やはり僧侶である私が八角時計に向かって五体投地をしているビジョンです。私はその時点では五体投地を知りませんでしたが、のちにチベットで五体投地を習うことになり、やり方は全くビジョン通りでした。また、八角時計という抽象的な本尊は、のちにカーラチャクラ尊であることを理解しました。

カーラチャクラとは、チベット金剛乗仏教の無上瑜伽タントラに位置する高度に完成された密教のシステムです。カーラチャクラ尊という秘仏の成就法であるに留まらず、そのシステムの中にはさまざまな学問が網羅されており、チベット仏教において重要視されている修道法のひとつです。

チベットにはこのカーラチャクラのような、日本では信仰されていない後期密教の本尊がたくさん存在しています。平安時代に日本に入ってきた密教は、密教全体の中の未完成な状態である、初期から中期の密教です。しかしチベットでは、後期に大発展を遂げたインドの密教のほとんどすべてが移植され、今なお継承されています。この中のカーラチャクラ尊の存在が、ビジョンの中で八角時計の形として現れていたということです。

私はのちに何度となく、夢やビジョンとして、カーラチャクラ・タントラに描かれる理想郷、シャンバラに行く体験をしました。そしてのちにチベット仏教を学ぶにつれて、自らの過去生とカーラチャクラの関連性など、はっきりしたことが明らかにな

▼1 死後における意識の転移の方法
▼2 死後の中有と呼ばれる四十九日まで続く中間の状態

りました。もちろん、今となってはこれらもマーヤとして捉えており、あまり意味を持たせてはいませんが、探究の段階では大きなモチベーションになりました。

このようにして、私は、活仏という見たこともなかった存在とはじめて出会い、世界が一気に広がりました。

のちに、アヤン・トゥルクは京都の私のマンションに一週間近く泊まっていったりすることになり、深い縁を感じました。この一週間は毎日が遊びのようでした。その当時、私は京都の仏具店で働いていましたので、アヤン・トゥルクが興味のある金箔職人の工房や、さまざまな日本の職人技を見ていただきました。活仏自らも金箔押しに挑戦されたり、また、当時私がよくお世話になっていた比叡山のお坊さんを訪ね、延暦寺ツアーをしたりと、とても充実した毎日でした。

話を元に戻します。

私は玉光神社の信者ではなかったのですが、本山先生に会いたいなと思ってふらりと神社に行くと、先生と廊下で出会うというのがいつものパターンでした。先生は応接室に私を導くと、最近はどんな感じかなどと聞いてくれ、相談に乗ってくれていました。

十七歳になると、人生何事も経験だという信念を持って、単身ヨーロッパに向けて出国しました。イギリスでは、不可思議な心霊体験を毎晩のように経験しました。そのなかでも最も面白かったのが、次のような経験です。

ある晩、夜中に目覚めると、ベッドの周りに数匹、人間と等身大の服を着たウサギやらネズミやらが私を覗き込んでいるのです。彼らは手にナイフとフォークを持ち、口からよだれならぬ血を流し、私を食べようとしていました。ホラー映画のようで驚きましたが、印を結びマントラを唱えて蹴散らしました。イギリスでは、昔からこういった動物の物語が多くありますが、実際に自分も経験してみて、このような霊体が存在しているのだと理解しました。イギリス人の物語の着想はこういう経験から来ているのだと思います。

そんなある日、光が部屋の中に入ってくると、私にメッセージを伝えてきました。それは「インドのサッテャーナンダの元へ行け」というものでした。この経験は、当時のロンドンでの暮らしに迷っていた私にとっては、あまりに明確な指示でした。私は意を決して、何年も生活する予定だったイギリスに見切りをつけ、インドへと向かうことにしました。途中、フランスで庭師のアルバイトをしたりしながら、インドへと歩みを進めていきました。

(3)

遂にインドに到達すると、さらなる苦難の末にスワミ・サッテャーナンダを探し当て、やっとのことでアーシュラム(僧院)に辿り着くことができました。

サッテャーナンダ師との出会いは衝撃的でした。その存在のありようは、今まで遭遇したあらゆるものを超えており、そこに私が見たものは「超越的父」でした。以来、私は実際の父親を見ても父を感じませんでした。

この父との出会いは、私に圧倒的な印象を残しました。スワミジは「待っていたよ。お前をここに呼んだのは私だ」と言いました。私はロンドンでの光との遭遇を思い出し、すべては師の導きだったのだと理解しました。

こうしてアーシュラムでの生活が始まりました。

スワミ・サッテャーナンダ・サラスヴァティーのアーシュラムでは、タントラ、クンダリニー、クリヤなどのヨーガを学び、正式に師に弟子入りをし、スワミ・ターラナータ・サラスヴァティーという名前も頂きました。

サッテャーナンダ師は現代の総合的ヨーガを確立したシヴァーナンダ師の高弟のひ

とりですが、教えは他の弟子たちと少し違います。その特徴としてタントラ・ヨーガが挙げられます。タントラといっても左道的なものではなく、クンダリニー・ヨーガやクリヤ・ヨーガなどの、システマチックな覚醒方法のテクニックです。

このとき私が主に学んだのはクリヤ・ヨーガのテクニックです。クリヤ・ヨーガはパラマハンサ・ヨーガーナンダの系列が有名ですが、サッテャーナンダ師のクリヤ・ヨーガとは系統が異なります。

クリヤ・ヨーガは人間の進化過程を圧縮する方法で、ひとりの人間が気の遠くなるような輪廻の果てに解脱に至る行程を短縮する、システマチックな修道方法です。アーサナ、プラーナーヤーマ、ムドラ、バンダ、マントラなどを双修し、クリヤ・ヨーガの本命ともいえる瞑想を実践します。クリヤ・ヨーガでの瞑想はアジャパ・ジャパと呼ばれるスシュムナー管への集中が主たる方法になります。吸気と共にマントラを唱えながら、尾骶骨から頭頂へと意識を巡らせ、呼気と共にマントラを唱えながら尾骶骨へと戻していくということを繰り返し行うものですが、この方法の他にもさまざまなテクニックがあり、これらの修道を通して一気に輪廻のサイクルを圧縮していきます。こうして私はクリヤ・ヨーガのテクニックの習得をし、オレンジの衣を身にまとい修行者として生活することになったのが十八歳のときです。

この頃から毎日何時間もの瞑想を行う日課をひたすら繰り返しました。本格的な修行の中に自分の居場所を見つけ、ひたすら瞑想に打ち込みました。

しかし、あるとき、スワミジが長期間にわたりアーシュラムを留守にすることになりました。スワミジが居ないアーシュラムは火が消えたように力がなく、漲っていたあの力はどこへともなく消えてしまったのです。伝授の儀式やサットサンガ（真理のための集い）の他にも、スワミジはご自身の部屋で他の弟子たちと一緒に映画を観たりもしていました。映画を観るときスワミジはいつも「ターラナータ」と私の名前を優しい声で呼び、近くに招き寄せました。私はいつもスワミジの右側に体が触れるほどの位置に座り、映画を鑑賞しました。はじめは恐ろしく緊張しましたが、毎回のことなので、次第にこの特等席に座れる喜びが私を支配するようになりました。

そんな日々を過ごしていたのに、突然スワミジが居なくなると、その喪失感は大きく、私の毎日は再び混乱の日々となりました。スワミジとの面会の日々の記憶を頼りにしばらくは瞑想していましたが、遂に私はスワミジが戻るまで、インドを旅することを決意しました。

こうしてアーシュラムを後にすると、私はヒッピーに混じって、インドの周遊を始めました。東海岸からインドの先端まで行き、西海岸を北上するという行程です。私はガイドブックを持たず、口コミのインフォメーションだけで旅をしていました。そこで出会う人のほとんどがヨーロッパ人のヒッピーだったため、彼らの文化にどっぷりと浸かってしまいました。そして、そんな彼らとの暮らしの流れが私をさらに北へと導きました。

インドに疲れ果てた私はネパールに逃れると、チベット人との出会いを果たします。彼らの放つ癒やしのオーラは私の全身全霊を癒やし、ついには彼らの虜（とりこ）になってしまいました。顔は日本人に似ていて優しいことこの上ないチベット人は、世界一の民族だと感じました。

この頃には私は二十歳になっていました。その後、ブッダガヤ、ダラムサラと旅をし、チベットの仏教に興味を持つと、さまざまな寺院を訪ねて、僧侶たちから仏教について教えてもらいました。彼らの中ではラマ（グル）の存在は大きく、かつて日本で出会ったアヤン・トゥルクのような転生活仏と呼ばれる生き仏によって教えが継承されているという、この一種独特なチベットの仏教に私は魅了されていきます。

世界的に有名なダライ・ラマ法王に代表されるこれらの活仏の指導を仰ぐため、私は早速、活仏探しを始めました。こうして何人かのラマを訪ね歩いた結果、サキャ・

ティチェンと呼ばれるサキャ派の法王に辿り着きました。法王に謁見すると、弟子入りが許可され、以降、サキャ派に伝わる教えを学ぶことになりました。

サキャ派は元朝の国師を務めたことで、一時はチベット最大の勢力となりました。法王はその名残を残すかのようで、今まで出会ってきたどのラマとも異なったオーラを醸し出していました。僧侶というよりも、どちらかというと、王様のようなインパクトがありました。もちろん、サキャ派の法王は世襲制なので、法王は在家行者というスタンスです。

サキャ派の教えの核となるのはラムデと呼ばれる瞑想法です。ラムデは日本語では道果と書きます。チベットでは、ニンマ派がゾクチェン、カーギュ派がマハームドラ、サキャ派がラムデ、ゲルク派がラムリムというようにそれぞれの宗派に特有の解脱方法としての瞑想法があります。また、これらの他にタントラ的な本尊のヨーガが無数に存在しています。

この当時、私はチベット仏教の初心者でしたので、サキャ・ティチェン師はラムデの瞑想の基本となる、シャマタとヴィパッサナーという瞑想から指導を始めました。そして、これらの教えを実践するとラムデの道が開かれます。道果説の教えは書いて字のごとく、修道者が道を歩みはじめると果はそれに伴うというものです。要するに、解脱という果は、修道に入ったと同時に既に在ると説かれるところがラムデの特徴です。マハームドラやラムリムが、結果は修道の先に在ると考えるのに対して、ラムデでは、果は道と共に在ると考えるわけです。しかしニンマ派のゾクチェンではさらに超越的な考え方をします。人間は生まれながらに悟っているという解釈です。

この頃は主にサキャ派やカーギュ派の教えを学ぶことが多かったのですが、次第に流れはニンマ派と呼ばれるチベットでも最も古い宗派の教えに導かれていきました。そもそも、二十歳の頃から折りあるごとに謁見だけをしていた、ミンドリン寺の法王との縁ができたのです。私は英語ができるラマからでないと教えてもらうことができないという先入観を抱いていました。これまでのラマは皆、英語が堪能でした。ところが、意外なことが重なり、二十六歳の頃、ミンドリン寺の法王、ミンリン・ティチェン師から直接教えていただくことができるようになったのです。そして、それからというもの、ミンリン・ティチェン師からゾクチェンと呼ばれるニンマ派最高峰の修道法を伝授され、ゾクチェンの実践に明け暮れる日々が始まりました。この伝授が終了するまでに三年の月日が流れましたが、毎日が喜びに満ちていました。その他にも多くのラマたちから、個別の教えを授かりました。

二十歳から三十歳までの十年間をチベットの文化の中で過ごし、チベット人化していた私ですが、三十歳で転機を迎えることになります。

話が前後しますが、本格的な修行を始めて二年ほど経った二十歳のある日、私は今までにない体験をしました。子どもの頃から幽霊が見えたり、微弱ながらオーラが見えたり、何かが見えるというような経験は常にあったのですが、この二十歳のときの経験は、私の意識を大きく変えました。

この覚醒体験は「時間」と「空間」に関するものでしたが、私の意識がダイレクトに経験するというところがそれまでの経験とは一線を画しており、興味深いところです。「何かが見える」というのは、それを見ている自分が普通にあるということです。ところが、この経験では意識そのものの変容を経験したので、私はこの経験から大きく変化しました。

私たちが日常体験している時空の捉え方が、この覚醒体験によって変容し、時空に対する知恵が与えられました。我々が知る時空とは三次元的な制約を受けたものであり、それは正しい認識ではありません。あくまでも時空の一側面なのです。

この経験は私にさまざまな新たな認識を与えてくれ、意識が本来の目覚めた状態を経験はしたものの、依然として多くの疑問があったので、それが完全体になるというところには及びませんでした。

（4）

三十歳になる頃までインド・ネパールでチベット仏教の修行を行いましたが、三十歳で挫折を経験し、修行を諦めました。帰国後、遅咲きながら三十歳で就職し、数年間サラリーマンを経験することになりました。しかし、このサラリーマン時代に、徐々に引き戻しが起こりはじめました。さまざまな奇跡的な体験が、私を再び信仰の生活に目覚めさせていきました。

決定的であったのが、ある営業先のお宅の二十歳の女の子がバイク事故で亡くなった出来事です。その子への哀れみの心が私を支配し、その供養に全霊を傾けると、その夜、その女の子が成人式で着ることのできなかった振り袖を着て、私の寝室に現れました。彼女は私に礼を言い、「これでやっと向こうへ行けます」と感謝し、消えていきました。この経験は私に衝撃を与えました。

今まで、私はいかに自分の悟りのことだけを考えていたかということを痛感しました。そしてこの出来事以降、私は私と繋がるすべての者たちへの幸福を祈ることを、夜必ず行うようになりました。

ところが、これを始めると、自分の不甲斐なさ、力不足をさまざまな場面で思い知ることになりました。そこで、再び瞑想を始めたのです。悟りのための瞑想ではなく、衆生の利益のための瞑想です。この瞑想と祈りを行うこと二年。私は遂に、私の求める答えに辿り着きました。

臨死体験のときから分離していた私の肉体次元と魂次元はひとつになり、臨死体験のときに経験していた至福と絶対なる存在に、肉体を持った日常においても、常に繋がり続けることができる状態に辿り着くことができたのです。

このプロセスは半年にわたって起こり続けました。

目覚めの始まりは、超越的存在の訪れから始まりました。この超越的な存在は、今まで経験したどのような霊的なものとも異なる、「唯一絶対」の存在です。私が臨死体験の折に経験した光明なる存在です。

唯一絶対ではない存在は、「その存在」と「私」という相対、つまり、それを経験する「私」が存在しています。しかし、ここで経験されたこの超越者は、まったく異なったニュアンスです。自分がそれに「なる」のです。超越者と私は分かち難くひとつであり、彼の叡智が自分の考えのように降りてきます。その叡智の煌めきは、普段の私ではあり得ないくらい明確に、私ではありませんでした。もはや、小さな私という存在は片隅に追いやられ、超越者が私を完全に支配します。彼の叡智が私に流れ込み、全世界のすべてが了解されます。わからないことがなく、すべてが完全性によって支配され、全く完璧なのです。世界が不完全に見えるのは、ただ我々が不完全だからであり、不完全な目で見る世界が不完全なのは当然のことです。

完全なる存在は宇宙の一切に存在し、この現象世界ですらもその部分です。すべてが関連し合いながら完全に制御されています。この境地では、自由意志は存在せず、すべてが完璧に、在るべくして存在しています。

あらゆる事物は影響し合いながらも、秩序を乱すことなくその完全性を保っています。宇宙は完璧に機能しており、人の生き死に、出会い、別れ、そのすべてが時計仕掛けのように完璧なのです。この仕組みを私の脳は完全に理解し、さらにはこれを行う側として世界を見ていました。それは普段の不完全な私には想像もし得なかったリアリティーで、私を圧倒しました。

私は、意識の変容とは、「私の意識」が修行によって変容するものだとばかり思っていました。ところがこの体験がもたらしたものは、そうではありませんでした。私という私は何も変わることがなく不完全な部分を内包していましたが、同時に「絶対的なる意識」が私の中に流れ込んでくるのです。それはハイブリッドであり、ひとりの人間にふたつの異なった意識が同居する感覚です。私は以前と変わらぬ私です。しかし、超越的な意識は、私の内側ですべての結論を私に見せているのです。

この経験によって、私は自分の人生のすべての疑問が解消されました。求めていた答えが遂に理解されたのです。

そのとき、おもむろに私の口から漏れた言葉があります。

それは、

「神よ！」

であったのです。

それは、長らく仏教の修行をしていた私からすると、ある意味で驚きの結末でした。

私は今まで神の何も理解していなかったのです。今まで理解していたと思っていた神は、私の見聞きしたただの観念であり、私の頭脳が三次元的に理解できる直線的な理解にすぎませんでした。しかし、神とは普通の状態の脳によって理解できるものではないのです。そして、脳はそれを理解する機能を、そもそもは持ち合わせているのです。

この圧倒的な経験は夜明けまで続きました。

さらに、これらを整理するために一週間近くの時間が必要でした。あまりにも私が見ていた世界とリアルな世界が違うため、それを自分に落とし込んでいくまでに時間を必要としたのです。ほぼ一週間の間、私は部屋から出ることなくこの理解に没頭していました。

そして、一週間後の夜、再び同様のプロセスが始まりました。

このときは、前回現れた超越的、絶対的存在が、自分の内側に突然現れました。しかし、この存在は外に在ろうが内に在ろうが関係なく、全く同じ状態です。私は「自分」とは全くないものだと理解しました。ないといっても、そのニュアンスはなかなか伝わり難いと思います。私の経験では、「私」はあるのです。しかし、その「私」には何も意味がなく、意味があるのは「絶対者」だけなのです。それに比べれば「私」という存在は無に等しいわけです。

絶対者のみが存在し、行為者であり、世界はそれによって支配され機能しています。

我々はその絶対者の反映であり、太陽の光が鏡によって反射するように、我々という存在は絶対者を反映する鏡なのです。我々は無に等しくとも、その絶対者の輝きを自ら反映させる存在としてここに存在しているわけです。どこに重きを置くかでニュアンスは変わってきますが、私は、このような完璧である絶対者の反映物である私という存在もまた、完璧であると理解します。これは実に素晴らしい真理です。

いまだその鏡が曇っているために、太陽を完璧には反射できずにいる人からすると、この事実を喜びとして感じられないかもしれません。しかし、どんな鏡でも磨けば必ず光るのです。誰もが、絶対者の反映物としての自己を理解するならば、喜びに満たされるはずです。

こうして、絶対者が唯一の行為者であり、自分とはその部分であると理解したことで、私の長い旅は完結しました。もはや、かつてのような迷いが生じることはなくなったのです。既に二十年の月日が流れましたが、この状態は変わることなく今も私の日常です。

この経験を頭脳での理解に落とすために、私は二週間ほど部屋に引き籠もって論理的な解釈を施していきました。二週間すると、やっとのことで他人に説明できるまでになりましたが、それでも、この言葉を超えた体験を言葉にするのは骨の折れる作業でした。

ところが、これが終わると、今度は以前の元の自分の無知な意識状態に戻ってしまうという現象が起こりました。大慌てでしたが、二、三日すると、再び超越的意識が戻りました。そしてまた数日この状態を保つと、再び無知の意識に戻るという、自分ではコントロールできない力によって私の意識は揺れ動いていました。

このような状態が約半年ほど続いたのですが、面白いのは、超越的な意識の状態では、わかった意識が現れ、すべての答えが明確になります。ところが無知の状態に戻ると、さっきまでわかっていたはずであるという理解を除いて、何もわからなくなってしまうのです。

この現象に私は振り回され続けましたが、そのすべての答えが半年後の五月のある夜に明らかになりました。

この日は私の誕生日であり、満月でした。何か特別なことがあるわけでもなく、なんの変哲もない普通の一日でした。ところが、自室の椅子に座り窓越しに夜空を見つめながら、神について思いを巡らしていると、夜の十一時を過ぎた頃、突然「母」

（70ページ参照）の訪れを体験しました。強い他者性を伴ったこの存在の経験は、私に驚きに満ちた宇宙の仕組みを教えてくれました。「母」は宇宙全体に浸透し遍満（へんまん）し、すべての生命を生かし、生み出す命の根源でした。

すべては母から生じ、育まれていきます。人間のみならず、動物、植物などのすべての自然界の生命は、この母のシャクティという力によって生み出されています。すべては母から生じるのです。

また、「母」は宇宙を包み込み、その愛しむ意識によってすべてが満たされています。姿形なく、しかし他者性を持ち、すべての女性性の根源であり、女神などをも超越し、宇宙の根源として存在しています。

この宇宙の創造の根源である「母」が私にもたらした、最も驚くべき真実は、「すべてがマーヤである」ということでした。また、マーヤは変幻自在であり、特に人間のような知能が発達した生命体にとっては、どのような観念もがマーヤになるという事実です。

物事は目の前で必然的に展開するので、本来は起こるがままにしておけば良いのですが、人間は知能を持つがゆえに、それらをジャッジし、善悪や優劣などの相対的な判断をしてしまいます。好ましくとも好ましくなくとも、これらの判断はマーヤになるのです。固定観念、条件付け、既成概念、これらの観念は生きていくために蓄積してきた知識と経験によって構築された、物事の判断基準です。これは自らを守るためであり、人間社会の秩序を維持するためにも必要なのですが、これらの観念は時として、誤った理解へと我々を導いてしまいます。

動物に物事が起こっても、彼らはそれに対してあくまで自然にレスポンスします。人間だけが難しく考えてしまうのです。この観念によって我々は守られ生きているので、これを捨てる必要はありません。ただ、マーヤであると理解し、客観的に物事を観察できれば、出来事はただ起こっているだけということになります。

私はこの夜、「母」から膨大なマーヤに関する智慧を授けられます。そして、これを理解すると自らのマーヤも完全に解け去り、ついに私を三十五年間苛んできた無知は、取り除かれました。最早、一切の疑問は消え去り、完璧なる宇宙の仕組みを理解することで、無知に覆われていたもう一方の私も救済を得たのです。

依然として、私の中には二人の私が存在しています。完璧なる私と不完全な私です。しかし、この不完全なる方の私が、マーヤの仕組みを理解することで、あるがままで在ることができるようになったのです。

もちろん、完璧なるもう一方の存在は、変わることなく完璧に存在します。

私の意識が半年間、わかったにもかかわらず、目覚めたり無知に覆われたりする現象の問題はマーヤだったのです。そして、「母」のマーヤに関する叡智を理解することで、マーヤに支配されることはなくなったのです。

もちろん、わかったとて、この世界はマーヤでできているので、マーヤの世界と関わると、マーヤが意識に入り込んできます。しかし、マーヤということを知り、理解することによって、このマーヤという無知を瞬時に取り除くことができるのです。

こうして、この日以降、私はマーヤに陥ることがなくなりました。マーヤを感知したら、マーヤを取り除く。マーヤが取り除かれれば超越的意識は戻ってくる。これは、現代の日本というマーヤの非常に強い環境だからこそ与えられた「母」の叡智です。

それからというもの、私はあらゆる疑問から解放され、世界が以前とはまるで違うもののように見えるようになりました。私としてはヒマラヤにでも行ってしまいたい気持ちでしたが、この頃はあるクリニックで、仕事として患者さんたちに瞑想の指導をしていたのと、一歳になる娘がいたということもあり、これらを放り出すわけにはいきませんでした。私は運命的に仕事を続けざるを得ない状況にありました。そこで、クリニックの仕事の他に、瞑想会や個人相談など、自分にできることを少しずつ始めていきました。特に体験から編み出した「マーヤ解き」は、カウンセリング的な指導ができる方法でしたので、これを主軸にセッションを行うようにしました。

「マーヤ」も、必然性であり神の意図である「みこころ」も、本来的には目覚めていなければ理解はできません。完全なる意識の状態を体験し、すべてが完璧であるという視点から見たときに、今の自分がいかにマーヤであるか、といったことが理解できるのです。

しかし、まず神が存在すること、そして、自分という存在は本来的には神の分身であるという仮定をすることで、マーヤとマーヤでないものとを特定していくことが可能です。もちろん絶対性が理解できていればいるほど、観念をマーヤとして認識することは容易になります。

この方式で、マーヤ解きに特化したカウンセリング方法を作り出し、セラピーを始めたところ、気がつくとこれを生業とする生活になっていました。ただし、最初の数年はあくまでも実験的であり、この方法が他の人にも有効であるのか、確信はありませんでした。

私はこのような変わった人生を送ってきたので、社会と反発するような傾向にあり、目覚めが起こる以前は、自分が正しいのか社会が正しいのかがわかりませんでした。社会側から見れば、子どもの頃からドロップアウトした少年でした。「ドロップアウト」とは、あくまでも、社会側が正しく、自分は社会不適合者であるということを意味します。しかし、目覚めを経験したのちは、私が正しいという結論に到達したわけです。社会が間違っているということではなく、社会というのはマーヤによって構築されているということであり、それもまた「みこころ」です。この社会は存在するべくして存在しているのです。社会は決して間違っているわけではありません。しかし、マーヤという不確実性の上に成り立っており、状況や時代が変化すれば、根底から覆りかねないというものです。

それに対して、神の存在は絶対であり、それが覆ることもありません。私という存在も、私が存在しているからこそ、すべて私によって認識されているわけです。もし、私がいなかったら、今私が認識している世界は私によって認識されることはないのです。この絶対的観点から見れば、社会の絶対性は無に等しいのです。

しかし、多くの人は社会というものを絶対視するように教育されてきましたし、そのように信じ込まされています。

戦時中に天皇を神だと信じ、戦争するのは神の命令なら当たり前だと、身を犠牲にして国に貢献してきた国民が、終戦後いきなり民主主義に舵を切りました。この転換は、つらいものから喜びのあるものへの転換だったため、国民は喜びましたが、これが逆だった場合、相当な混乱が生じるはずです。これが社会というものです。時代、国、民族、性別、それらが生み出すマーヤは我々のマインドをコントロールしてしまうのです。

そこで、自らの内側に存在する絶対性を仮定することで、自分の誤認を正していくというセラピーが出来上がり、ご縁のある人たちへのカウンセリングを続けました。そして、数年後にはこのやり方で間違っていないという明確な理解を得ることができました。

このように教えていく経験のなかで、あることが理解されました。それは、教師というものは、知っていることを教える仕事なのではなく、教えてはならないことをいかに理解しているかである、ということです。

私は、師というものは教える者である、と理解していました。私も師から多くを学びましたが、実は師が教えていたのは師の「あるべき姿」でした。私はもちろん師になるために修行をしていたわけではなかったので、弟子として師の話を理解していました。そのため、そのとき意味が理解できない教えは、理解されていないものとして記憶の脇に置かれていました。しかし、目覚めたときに、それらの教えが記憶の縁から蘇ってきたのです。「そうか！　そういう意味だったのか！」と、気づくことが多々ありました。密教や秘教というものは、ただでさえ秘密が多いのですが、これもまた、マニュアル通りの理解を超えています。

修行当時、台湾で道教のマスターに出会ったことがありました。そのマスターは私に「オーム・マニ・ペメ・フムの意味を知っているか？」と尋ねました。私は「オームは聖音、マニは宝石、ペメは蓮華、フームも聖音で、蓮華に生じた宝石である観世音菩薩の意味です」と説明しました。すると「違う！」と、マスターは強く否定したのです。彼は「オーム・マニ・ペメ・フムとは、『ママー！』だ！」と言いました。私は意味がわからずに戸惑いましたが、わからないことはわからないままにしておきました。ところが、自分の目覚めのときにあのマスターのセリフがまざまざと蘇ってきたのです。「うわあ！　あのおじさんすごい！」そう思いました。

「母」は我々の魂が還るところであり、「マントラ」とは家路へのナビゲーションなのです。ただ、「母」の元に還るための手掛かりなのです。本来は簡単なことを、修行者は勉強しすぎてわからなくなってしまうのです。
マントラは臍の緒のようなものです。これを辿って「母」に還り着く。そこにあのマスターの言葉の真意が隠されていました。実にふざけたことばかり言っていたマスターでしたので、当時はあまり評価していませんでしたが、実は本質のみを語っていたのだと思い知らされました。

こうして、毎日が学びに満ちていました。目覚めた意識はさまざまなものを吸収していきました。今までは、わかっていないので本当の意味での理解はなく、理解がなければ学びはない、という状態でした。しかし、目覚めてわかると物事がわかるようになります。そうなると、物事の仕組みをも理解し、そこからさらなる学びを得ることができるようになります。わからないことがなくなっただけではなく、そこからさらなる理解までが付加されてくるようになったのです。

こうして、マーヤに基づいた世界を常に客観的に見ていられる意識を保つことが、私の指導の主たる方法になりました。三十五歳の自己の完成から、今に至るまでの二十年間、何も変わらぬ話をし続けていますが、指導方法についての細かい変更点は随所にあります。これは「アップデート」によるものです。

私が「アップデート」と呼ぶものは、既に与えられた智慧に、さらなる補足が与えられる体験です。それは、やはりなんの前触れもなく、多くは夜中にやってきます。私の生徒が代替わりしたり、ランクアップしたりしてくると、それぞれの生徒へのアプローチを変えざるを得なくなることがあります。特に私の場合は、「みこころ的」であり、流れに任せていることが多いのですが、流れに任せているとそのうち問題に繋がるような場合は、アップデートで指示のようなものが来ます。教えの内容というよりも、ほとんどが私の振舞いへの注意点です。

（5）

さて、このようにして私は、若い頃からの修行内容とは異なる結論に到達し、そののち二十年間教えてきました。

私の師であるミンリン・ティチェンは、教えの伝授が終了したとき、私に一言このように言われました。

「今回お前が日本人として生まれてきたのには、何か意味があるに違いない。ゆえに、リトリートは日本で行いなさい。ここでのリトリートより長くかかるやもしれない。しかし、もしここでリトリートをするので良いのならば、お前はチベット人として生まれてきたはずだ。日本人であるのには日本人としての意味がある。お前のなすべきことはここにあるのではなく、日本にあるのだ。日本に帰り、日本人のために、日本でリトリートを行いなさい。」

その後、日本に帰ってから、私の人生はかつてないほどの嵐に見舞われ、心身共にぼろぼろになるまで引き裂かれました。あまりの精神的苦難から逃れるための現実逃避の毎日で、修行はおろか、宗教に対する興味すらも失ってしまいました。そして三年の月日が過ぎると、いつの間にか吹き荒れていた嵐は鎮まり、得体の知れない苦しみは、私の体と心から完全に消え去っていました。

ゾクチェンではゾクチェンを極めるために、三年三か月三日のリトリートを行う慣わしになっています。私はこの試練の最中は全く気づいていませんでしたが、目覚めたのち、これがエネルギー的なゾクチェンのリトリートだったのだと理解しました。

一切瞑想はしていませんでしたが、そこで経験したことはゾクチェンの仕上げであるかのようなエネルギーとの格闘だったのです。

そして、すべてが終了すると、今まで皆無だった手助けがあらゆる方面から私に伸びてきました。何かがあらゆる手段で私を救済するために働いてくれているのがわかるのです。三年間の傷を癒やすように、優しい光が射しているのが毎日はっきりとわかるのです。この見えない愛による導きが、最終的に私を究極的な理解へと導いてくれました。

私がかつてインドで学んできた内容とは異なるものですが、これが、我が師が言っていた「日本人のための教え」なのだということを私は理解しています。師は、すべてを見越していたのです。


この二十年の歳月、私は「マーヤ解き」や「みこころ」の教えを通して、縁ある生徒たちに私が授かった極意を通して教えてきました。数多くの結果も伴っています。

私は生まれた瞬間から今日までの導き、そのすべてが完璧であり、計画されたものであることを理解しています。起こることすべてには意味があり、そこには計り知れない神の愛があります。

我々は、これほどまでに平和な時代に生かされています。これは過去を振り返れば明確ですが、奇跡的なことであり、この平和な時代に生かされているというだけでも、とてつもない神の恩寵を受けているのです。

この神の愛に応えるべく、我々は行動しなければなりません。それは、すべてを慈しむことであり、愛することです。そして、このメッセージを伝えていくこと。愛という調和をもって、真の平和を実現すること。これが、私に与えられたなすべきことだと、理解しています。

私が愛によって導きを得たように、人類も皆、愛の導きによってそれぞれの人生を経験しています。ただ、すべてが愛によるものであると理解するだけで、人生は実りのあるものとなるのです。私は、自分がひとりでこの至福に在ることがもったいないと思うのです。皆がこの愛を経験すれば、幸せになれるのに……と、思うからです。

これが私を駆り立てる動機であり、私における真実です。

私は命ある限りこれからもこのメッセージを発信し続けていきます。それが、この奇跡に満ちた人生を与えてくれたものへの恩に報いる、ただひとつの方法だからです。いつの日か、人類が真の愛を理解し、幸福へと導かれることを祈りつつ。

術語解説

神

私は神のことを、さまざまな言葉をもって表現します。絶対者、超越者、遍在者、真理など、その時その場のニュアンスに合わせて、言い方を変えて表現します。しかし、やはり神には神という言葉が、私にとっては最もしっくりくる表現です。

なぜならば、神という言葉はまさに神を表現するために存在している言葉であり、それは、我々にとっての名前と同じだからです。しかし、神は自らをそのように呼ばれることを好まないように感じられることがあります。あたかも、自分の名前を嫌っている人が、それが自分を表す名称であるがゆえに、その名前で呼ばれることを甘んじて受け入れているようなニュアンスです。

では、なぜ神は神と呼ばれることが嫌なのかということを考えますと、それは、我々人間が「神」と表現することで、存在が括られてしまうということが起こるからです。

人間は思考、つまり言葉によって支配されています。その言葉から来るイメージを超えることができないのです。

例えば、神という言葉を考えると、キリスト教徒はキリスト教で教えられている神を神だと理解します。それ以上にはなりません。イスラム教、ユダヤ教、ヒンドゥー教、シーク教、道教、神道……世界にはさまざまな宗教がありますが、それらの信仰者が神という言葉でイメージするものは各々異なっており、それらが神を完全にイメージできているわけではありません。もし、それができているならば、宗教間で争いは起こり得ません。

しかし、神は本来、超越的存在です。我々の言葉のイメージで神を捉えることはできないのです。それゆえに、自らを神と呼ばれることを好まないというわけです。しかし、私は自らの経験でこの超越的存在を理解したときに、「神」として経験しました。そのため、どうしても神という言葉での表現になってしまうのです。

一元的神、二元的神

神には一元的状態と二元的な状態が存在しています。

一元的神は、この宇宙が生じる以前から存在する、作用のない状態で在る神です。これは、空性（くうしょう）や無といった状態に近いと思います。また、その一元的状態には時空という前提が存在しないため、時空を超越しています。これに対し、二元的神の状態が生じたのちは、時空という前提が存在するようになります。

元より存在する一元的神は、時間にあっては永遠であり、空間にあっては遍在という状態になります。これが一元的神の状態であり、神が二元化したのちも、依然としてこの一元的神は存在し続けています。時空を超越して永遠に遍在しているため、我々の周りにも常に存在しています。また、我々の過去にも未来にも存在しています。

我々は生まれてこの方、酸素を吸わなかったことはありません。子どもの頃も、今も、年を取ってから死ぬまで酸素を吸い続けます。酸素がなかったことがないように、神もまた遍在しています。我々は一呼吸ごとに神と共に在るのです。

この状態の神は「やって来るもの」ではありません。それは最初からそこに在り、なかったことなどないのです。寺院にも神社にも教会にも、モスクやシナゴーグにも在り、家にも職場にも電車にもコンビニにも在ります。それはすべてに存在し、我々の体の内にも外にも存在します。この世界や物質が存在しようがしまいが、それは在り続けます。

ヒンドゥー教の聖典には「ブラフマンの昼と夜」という表現がありますが、この一元的神の状態をして、ブラフマンの夜の状態としています。それに対して、ブラフマンの昼という状態があり、それはブラフマンが活動するときです。この活動は、二元的神の状態を生み出します。

聖典には、ブラフマー神があまりにも長い時間ひとりで過ごしたため、退屈を感じ、自分の分身を創ってみたらサラスヴァティーという女神が生まれたと記されています。これは神話的な解釈ですが、そこで何かが生じたことは間違いないわけです。そのときに、原初の相対化が起こったのだと推測されます。

そこで生じたのが、神における「父という側面」と「母という側面」です。父の側面はどちらかというと神の一元的状態に近く、「無」の状態で在るのに対し、母は「有」という状態として在ります。このようにして、父と母という相対が生じます。

この相対界ではすべては相対します。そのそもそもの原因となっているのが、この父母の相対化なのです。

また、この現象世界を見渡せばわかるように、子孫を産み出すのは母の役割です。これは人間に限らず、動物も植物も、すべてが女性性から生じるようにプログラムされています。これは、原初の相対の始まりである、宇宙の母から続く遺伝のようなものです。我々が通常「創造主」と呼ぶ神は、この二元的神の状態を表しています。母が創造し、父が破壊を行い、元の状態に戻るわけです。破壊というと大袈裟になりますが、神は、元々「無」に近い状態です。無といってもないわけではなく、また、あるわけでもなく「在る」ものです。この「在る」という状態は、ないこととあることの前提となる状態であり、すべてにおける土台となるものです。この無のような「在る」状態が神の本来のあるべき姿であり、父はその要素を持つことで世界を産む母と相対しています。

この現象世界では、すべてが時間による劣化の定めを与えられています。人も年を取り死んでいくように、物質の世界は移り変わるものです。その定めを負った現象世界のルールも、もちろん神の絶対的な周期から生じています。すべては生じては滅するということを繰り返します。あらゆる機械やエンジンが回転からエネルギーを得るように、また、宇宙の星々は回転することで力を生み出すように、この宇宙にあるものは回転しています。この回転することの原点が、神の絶対的な周期から来る回転です。ブラフマンが昼と夜を繰り返すと言われているように、母によって創造されたこの世界は、然るべき時間ののち、無へと帰っていくのです。この父と母の創造と破壊が、この世界の成り立ちです。

また、この二元的神は二元的であるがゆえに、時として我々人類に関わってきます。やって来る神、関わることのできる神です。

本来、神が一元的である場合、「神が来る」ということは起こり得ません。神が来るものであれば、来る前はなかったということになってしまいます。神は絶対者であり永遠であるわけですから、神は既に在るものです。しかし、その、無形に近く、本来のあるべき姿に最も近い状態で在る神を見極められる人間は、圧倒的に少数です。また、その状態は恩寵としてもたらされるものであり、探して見つかるものではありません。また、理屈で説明することができないものであり、体験としてわかるしかないものです。

人間に神として認知されるためには、神が人間のレベルまで降りてこなければなりません。そして、それぞれの人の段階に合わせて神は変幻します。人間に近い状態の神というのが、わかりやすい姿なのです。それが、さまざまな神の姿やありさまが世界中であがめられている理由ですが、人格神として現れる神は、人間に合わせて、その人が最も理解しやすい姿で創り上げられた神のマーヤ（幻）の体なのです。

しかし、神の姿が相対的であればあるほど、我々の認識も相対的になります。相対的になれば、神の本来のありさまの理解からは遠ざかり、悟りからは遠ざかってしまうのです。悟りの視点とは神の視点であり、「梵我一如」の状態です。しかし、相対的な神の姿は梵我一如という理解を阻んでしまいます。

しかし、この神の現れが人類に神への信仰を促してきたのですから、神への階梯として、我々はまずこういった人格神を信仰することから始めるようにプログラムされているということです。

何よりも、人格神への信仰を行うことは、我々の内に神への愛を芽生えさせます。こうして、この愛が道標となり、遂には愛そのものである「神」という体験へと我々を導くのです。

みこころ

私が「みこころ」と呼んでいるものは、必然性と言えるものです。若い頃の私の人生を振り返ると、起きる出来事は完全に仕組まれていたことが理解できます。

私のように、風に吹かれるままにさまよったり、インスピレーションをそのまま行動に移すような生き方をしていると、このことがはっきりとわかります。これは、誰かに敷かれた道や、社会に強いられた道を歩んでいると、なかなか気づくことのできないことなのかもしれません。

起こるべきことが起こり、出会うべき人と出会います。我々は多くを他者との出会いのなかから学びます。そして、その人との出会いが我々の人生の方向性を決定していきます。

家族や恋人、師や配偶者、そして子ども。すべては縁で繋がっており、その縁が結実するためには、すべての現象は繋がっていなければならないのです。人生に起こることは、生も死も含めてすべてが決定しています。

我々はサイコロを振って出た目で右か左かの選択をします。しかし、そこで出る目は必然的です。我々はサイコロを振りますが、神はサイコロを振りません。我々がサイコロを振ることとさえも神の手の内で起こっていることなのです。そして、この話を信じるか信じないかも神によって定められていることなので、信じなくても全く問題はありません。信じない人も必然的です。私はそのように理解しています。

しかし、ある次元に上り詰めていくと、すべてが完璧であるという状態を経験します。そこでは、すべてが完璧であり、全く非の打ちどころがない状態であり、神の状態です。その地点から見ると、不完全に見えるこの世界さえも、完璧に見えます。不完全に見えるのは単に我々のマーヤのせいなのです。マーヤについては後述しますが、マーヤさえなければ、我々は完璧なる世界をそこに見るのです。

私は世界を完璧と見ています。その完全性は愛に満ちており、それが私の意識を支配しています。これはあくまでも私の意識の状態であり、私の捉え方です。みこころを信じなければならないということは何ひとつとしてありません。それどころか、むやみに信じることは間違いです。私は何も信じていません。私が理解していることは私が経験したことです。二〇〇〇年までは、私も何かを信じたり信念を持ったりしていました。しかし、それ以降、私は何も信じていませんし、信念もありません。「信」という文字は完全に神によって変換され、「真」になっています。

すべては私から見た世界です。みこころというのも私が経験した境地であり、信念ではありません。また、これを押しつける気もありません。しかし、もし、皆さんがこのように解釈して人生が楽になるのであれば、それはそれで結構な話です。

この家庭に生まれ、こういう人たちと出会い、今の自分がある。苦しい人生であるのなら、その集積である自分は、人より痛みがわかる人間に成長しているはずです。楽しい人生であるのなら、人の生きる喜びや愛を理解しているはずです。人生はそれぞれです。しかし、その人生が我々を導いてくれます。人生で経験していないことは、ないに等しいのです。逆に人生で経験したことはすべて学びとなります。

我々はそれぞれひとりずつに必ず人生が付いてきます。我々は振り返って「これが人生か」と思いますが、人生とは、実は我々の先を行く導師なのです。人生によって導かれ、教えられ、学ぶ。人生とは個別のマスターなのです。そして、これらの行き着く先は愛です。みこころは愛を経験するために用意周到に計画された、神の恩寵なのです。

すべては「みこころ」であるかどうか、それは、それぞれの人が経験を通して理解するべきです。

みこころを前提として、因果を説明すると、面白いことになります。

通常、因果とは、原因によって結果が生じるというこの世界の当たり前の法則ですが、これはあくまでも時間軸上における話です。悟りにおける因果には当てはまりません。悟りは時空を超越しているので、因果は時間という概念を超えて解釈されます。

人間は、最終的にすべての人が悟ります。ということは、悟るために我々は存在しているということです。すなわち、悟りということが結果になります。しかし、悟りが結果である場合、みこころに則って考えるならば、原因もまた悟りになるのです。時間軸上の個々の悟りという地点が原因でもあり、結果でもあるわけです。

我々は悟りゆえにあらゆる経験をします。そして、そのあらゆる経験はプロセスになります。時間軸における因果が過去から未来に延びる横線ならば、悟りにおける因果は点です。

我々の存在は悟りゆえに始まり、悟りを以て終わるということです。この人生で起こっていることはその過程に過ぎません。

恩寵

恩寵は、やって来るものです。では、果たしてそれはどのようにやって来るのでしょうか。

我々の人生の出来事は必然的であり、起こるべきことは必ず起こります。しかし、時として自分の努力を超えた何かを必要とします。

例えば、音楽家でもスポーツ選手でも、彼らは果てしない努力をしています。練習に練習を重ね、あとひと息というところで進歩がなくなるということがあります。そんなときに少し練習を休むと、突然進化することがあります。私もそうでした。努力しても結果が出ずに、諦めてしまいました。しかし、のちに恩寵を受けることで、今までの努力が実ったのです。

これは現実の世界でも精神的な世界でも同じです。

この力を感じた人はたくさんいると思います。「最近とてもツイている」と感じるならば、なんらかの恩寵が働いているのかもしれません。有名人と言われている人が有名になるきっかけとなるのも恩寵です。このように、現実世界での成功も恩寵によるものです。もちろん、前提としての必然性がなければ恩寵もありません。

恩寵を受けるにはいくつかのパターンがあります。ひとつ目は努力に伴った恩寵。そして、ふたつ目は努力を伴わない恩寵です。

私の場合で言えば、幼少時の臨死体験は、努力を伴わない恩寵でした。形は死ですが、その経験は恩寵以外の何ものでもありません。

このように、努力を伴わない恩寵は多くの場合、悲劇を通してやってきます。キリストの弟子たちに、イエスの死後、聖霊が降りてきたと言われています。この聖霊も恩寵です。最愛の師を失うという悲劇の結果として、恩寵を受けたわけです。もちろん、そこには必然性が前提にあります。

努力を伴う恩寵は、修道者たちも経験してきました。そもそもはじめからわかるべき人間が、なぜ修行をする必要があるのかという疑問が出てきますが、これは、プロセスも大切だということなのです。困難な結果の伴わない修行を日々繰り返すことのなかからしか、見出せない真実というものもある、ということです。

悟りを明らかにした聖賢のすべてが、恩寵の力を受けています。恩寵を受けずして

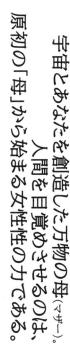

それが実現されることはありません。恩寵とは、実現されなければならないことを実際に動かす力であり、受け取り方によっては奇跡とも言えるものです。

この力がなければ、何事も成し遂げられません。

私の人生の経験や、本書において語られている内容のすべては、この恩寵の力に他ならず、恩寵の賜物なのです。

マーヤ

マーヤという言葉を解説するのは、なかなか難しいことです。なぜならば、私の言うマーヤというのは観念ではなく、実相を伴って千変万化するからです。

宇宙の創造の根源である「母」のことを、インドではマハーマーヤと呼んでいます。偉大なるマーヤという意味です。ちなみにブッダのお母さんも摩耶(まや)夫人と呼ばれています。ブッダを生み出すマーヤであったという意味になります。

では、マーヤとはイコール「母」なのかというと、そうではありません。どちらかというと、インド哲学におけるマーヤという言葉は、ネガティブな意味合いで使われることが多いようです。

シャンカラというアドヴァイタの聖者は不二一元論を説き、ヴェーダーンタ学派の祖師となりましたが、その思想を簡単に説明すると、一元的神の状態であるブラフマン以外はすべてマーヤだということになります。この言葉を日本語にすると、「まやかし」です。まやかしの語源は辞書でも不明とされていますが、このマーヤから来ているのは間違いないと私は考えています。

このように、ブラフマン以外はまやかしであると言われているために、インドでは古くから聖者が人里を離れました。それは、このマーヤである現象世界との関わりを極力絶つということを目的としていました。

この世界はマーヤによって成り立っているという考え方ですが、その根拠は「神」の項で少し触れた「母」というものの特異性によるものなのです。

絶対真理である神の状態が本来の状態であったとき、神という圧倒的な存在のみが存在し、他の一切は存在しませんでした。物質的次元から見ると、そこに在るのは「無」です。

ところが、そこから分離が起こり、絶対真理は「父」と「母」に二分します。この段階で真理は損なわれます。なぜならば、真理とは唯一であるからです。一のみが存在するという観念からは、二や三といった他が生じることはありませんが、複数形になるといくらでも増えることが可能になります。このことは心理的に考えてもわかります。選択肢があると人は迷うわけですが、選べるものがひとつしかなければ、何も迷うことはないのです。

真理とは唯一であるということが前提です。答えはひとつなのです。いくつも答えがあれば、それは答えではなくなってしまいます。よって、「母」が生じたということは、真理が隠されてしまったということを意味します。

しかし、真理というのは真理であるがゆえに、完璧な状態を指しています。「母」が生じたことで真理がなくなったわけではありません。真理は依然として存在しています。ただし、真理と分離した宇宙が生じてしまったということなのです。

この我々の住む世界は、真理が背後に在りながらも、表面的に見えているのはマーヤだということです。ですから、見るもの触れるもの、すべては真理を覆い隠してしまうマーヤなのです。こういった理由で、マーヤから距離を取るために多くの聖者たちは世捨て人になりましたが、もし、「母」という存在を見ていれば、そもそも世を捨てる必要はありません。「母」は、その創造において、この世界をむやみやたらに創ったわけではないのです。「母」には目的があるのです。それが愛です。

愛を以って世界を見れば、このマーヤの帳は取り払われ、そこに存在するマハーマーヤである「母」や絶対真理を認識できるという仕組みになっているのです。

この「母の教え」の部分は、私にとって要となるテーマのひとつですので、次回作の主軸に据えていこうと考えています。

人類は、始まりのときよりマーヤの海の中に存在しています。我々は神の意志によって生かされていますが、我々を取り巻く環境はマーヤであるわけです。

そして、例えば我々が宗教について学べば学ぶほどマーヤは深まっていき、マーヤが深まれば深まるほど、真理がわからなくなっていきます。なぜならば、理解のすべてが観念であり、実際の体験が自分に起こっていないからです。私は何年も何年もこの深いマーヤの状態の中にいましたから、これは経験談です。

しかし、これにもこれなりにメリットがあります。悟りの瞬間、すべてのマーヤは崩れ去ります。もともと、さほどマーヤのヴェールが厚くなかった人にとっては、それは平屋の崩壊程度の衝撃ですが、何年も何年も宗教を勉強し、積み上げられたマーヤが何十階建ものビルのように高くなっている人にとっての崩壊は、大惨事になります。この大惨事を経験する人は、悟りの印象も強烈になるのです。

それぞれの覚者の悟りに対する印象が異なるのは、そのためです。悟りの印象が大したことのない人はマーヤが少なく、悟りが強烈であった人は、それだけの大崩落を経験したということです。つまり、どれだけマーヤが自分の認識の中に深く厚くあったのかが、悟りの印象を決定するのです。

よって、宗教哲学を学んで自分の中のマーヤが深くなることも価値のあることです。しかし、そのまま終わってしまっては意味がありません。それらの聖典に書かれていることが、認識の主体である「私」にとってはマーヤになっているのだという理解を持つことが大切です。

我々が教えそのものに深刻に向き合うと、それはマーヤになります。何事も真剣に向き合うことは大切ですが、深刻になればマーヤになってしまいます。客観的な視野を常に維持することは何よりも大切なことなのです。

教えてくれる相手がいかに偉大なる聖者であろうとも、教えを聞くのは自分です。教えは弟子の理解力に応じてしか理解されません。師が素晴らしい教えを説いても、受け取る我々の側がマーヤのフィルターを通してその教えを聞いているのならば、誤った解釈しかなされないのです。

あくまでも重要なのは、真理を理解することです。観念的に頭が理解することは、さして重要ではありません。

悟り

私は解脱や悟り、覚醒などの言葉を使い分けています。

「解脱」とは、書いて字のごとく、「解って脱する」ということです。つまり、「解って輪廻のサイクルから脱する」という意味ですが、これは我々の理解を超えたものです。

例えば、ブッダの解脱は五十六億七千万年にひとりの解脱とされています。そのようなものを我々が目指す意味がありません。確実に不可能だからです。

それに対して、悟りとはすべての人に与えられる正しい認識の体験です。覚醒が始まりならば、悟りは終わりです。

覚醒とは目覚めの始まりであり、我々の日常で言うのならば、朝、目が覚めるのと同じです。今まで眠っていた意識が目覚め、目覚めてはじめて真の経験を経験する。このようなニュアンスです。覚醒したら終わりではありません。覚醒とは始まりなのです。

また、悟りとは全理解が魂に落ちる経験であり、特別なことですが、特別ではありません。悟りとは永遠の知恵を手に入れることです。永遠の知恵とははじめから在り、これからも在り続けるものです。ただ単にマーヤによって覆われていたため、気づくことができなかっただけです。はじめから在ったものに気づくことは、特別なことではないのです。しかし、マーヤの帳を払うことはとても難しいので、特別なことになってしまうのです。

もし悟りが成し遂げられる何かであった場合、それは確実なものではなくなります。確実でないものはこの宇宙にありません。すべては確実であるからこそ、価値があるのです。確実でないものはマーヤによるものです。

悟りとは無達成を達成することであり、そもそも、在るものに気づくことなのですが、この理解は、みこころの理解を含め、自分の人生の全回答を得ることになるので、私に関わることにおいて、わからないことがなくなります。疑問がいまだ生じるようならば、まだ完成の域ではありません。

また、自分の全回答が出るということは、自分を取り巻く環境も、ある程度完成の域になければなりません。

例えば、仕事が不安定とか、家庭が不安定など、日常に不安定がある場合、悟りは完成されません。悟りが現実逃避になることは絶対にあり得ないのです。悟りとはあくまでも現実の充実感のなかから生じます。よって、仕事や家庭から来る不満を取り除くことは重要です。昔から、悟りを求める者は世を捨てなければならないと言われるのは、そういう意味なのです。ですから、世を捨てても、捨てたことを後悔していたり、その状態に不満を持っていたりするのならば、例え世を捨てたとしても、悟りは完成しません。ならば、多少困難ではありますが、この世界に身を置き、仕事をして家庭を持ちながらでも、悟ることはできるのです。あくまでも重要なのは充足なのです。仕事を天職と感じ、家族や友人、恋人が、完璧であると理解すること。その大安心の境地が我々をさらなる完成へと導くのです。ですので、悟りを目指す者は、まず日常を整えることが大切です。

悟るべき真理はひとつであれど、その完成への道のりは人それぞれです。人間は皆違うのですから、当たり前のことです。

イスラム神秘主義者のスーフィーや、インドのバクタ（神の帰依者）が到達するイーシュワラという絶対者の悟り、アドヴァイタ（不二一元）を唱える人々が到達するブラフマンやアートマンという悟り、仏教徒が到達する空性の悟りなど、それぞれの教えに沿った悟りが展開されます。

なぜこれらに違いがあるかというと、単純に次元が違うのです。この三次元は論理性が重視される次元です。しかし、悟りの次元はカオスであり、そこでは論理は関係ありません。光と闇や善と悪、すべてが渾然一体となった状態でのバランスが完成されており、完璧です。そして、我々は我々が知るべきことを知るということです。逆に、わからなくて良いことはわからなくて良いとわかります。単なる理解ではなく、知る必要がないことを明確に理解します。

自らが知るべきことを知って完成する、これが悟りということなのです。悟っていないときに思い描く悟りはとても神秘的だと思いますが、実際はやっと普通になるということです。逆に、今までが神経症的だったのですから、ここに至ってやっと普通の心を獲得するのです。

悟りは在ると考える人と、悟りはないと考える二種類の人々がいます。悟りが在ると経験されるのは、もちろん悟るからです。反対に悟りがないと考える人は、悟りが獲得されるものならば、また失うことになる。生じたり滅したり、得たり失ったりするものは永遠ではないので、それを得る価値はないと考えるからです。

私はどちらも正しいと考えます。悟りを得なければ、悟りがないことさえわからないからです。それははじめから存在するものですが、マーヤに覆われて明らかになっていないため、明らかにされなければならないのです。悟った瞬間に、それははじめから在ったとわかるわけです。大袈裟に考えるからわからなくなってしまうのです。

私たちはここに存在しています。それは完璧なことなのです。ここに在り、喜び、苦しみ、怒り、こうやってさまざまな経験をしながら生きているのです。それこそが答えであり、宗教や哲学など、そんな大それたことはそもそも必要ないのです。神が存在し、そのみこころを行う。そして我々はここに生かされている。ただそれだけのことなのです。

我々は神の意識から生まれた分霊です。本質は、そもそもが神なのです。ところが肉体を持って生まれ、成長し社会の枠組みに囚われていくと、マーヤに陥り、本質を見失ってしまいます。世の中で当たり前だと思っていることが、実はマーヤなのです。人間は本来、自由に生き、魂や心を解放することができる生き物です。悟りとは、このような意識の状態に在り、なんら疑いを持つことなく自己完結することなのです。

もちろん、先ほども言ったように他者との比較は必要ありません。他人の悟りと自分の悟りを比較する必要すらありません。もし、そのような意識が芽生えたならば、それはマーヤです。あくまでも自己の完結なので、他者との比較は無意味です。

このような状態は悟ったのちにも生じます。禅の言葉に「大悟十八度」という言葉があります。悟りは何度も繰り返されて完成に導かれるということです。ですので、悟ったのちにもマーヤにはなります。しかし、悟る前との大きな違いは、それがマーヤであることに気づいているということです。マーヤに気づいているならば、それは容易に取り除くことができます。この世界はマーヤによって成り立っているので、マーヤにならない方がおかしいというところもあります。常に目覚めており、マーヤに気づいていることが大切なのです。

悟りとは本来の自分に目覚めることであり、自然に回帰することです。マーヤに侵され苦しみに満ちた人生は、本来的なものではありません。悟りによって、この苦しみを払拭し、生きていることが至福と喜びに満ちることが悟りの意味であり、ただ普通の人間になるだけのことです。人間はそれぞれの時代にそれぞれのマーヤを抱えて生きてきましたが、現代人も多くの人たちが神経症的な精神疾患を抱えて生きています。悟りとは、この異常な精神状態を、ただ正すだけのことです。

人は悟る生き物です。また悟ることによって我々はこの宇宙に存在するすべてのあるべきもののひとつにやっとなれるのです。悟ることは特別なことではありません。ただ、あるがままの存在になることなのです。

魔境

我々の意識の環境下には、魔境も存在しています。魔境はマーヤよりもさらに強力です。ひとたび魔境に誘い込まれると、自分の意識が正しく機能しなくなります。コンピュータでいえば、マーヤがバグで、魔がウイルスです。これに感染すると、しばらく心が正しく機能しなくなります。しかし、これもまた、魔境に陥っていることに気づくことで、取り除くことができます。

特に、魔は個々のトラウマなどに巣くっていたりすることがあります。大人になってからも、幼少期のトラウマが浮上してくると、意識が真っ暗になってしまうのは、魔境に引きずり込まれたためです。マーヤが観念的であるのに対し、魔は感情的に作用します。しかし、これらも「みこころ」ゆえのことであり、必然的です。そして魔境に陥ったことによる経験から得られる知恵は、絶大です。

善が愛であるならば、人間界でも「悪知恵」という言葉があるように、悪は知恵です。

魔は我々に難解な問題を投げかけてきます。仏典でも原始仏典の『サンユッタ・ニカーヤ』を通して、ブッダ自身が魔と知恵比べをしていたことが見て取れます。一般人は、魔境に引き込まれるとなす術がありませんが、ブッダは説き伏せることで魔を討ち祓っていたことがよくわかります。もちろん、魔境はわかりやすいものではなく、虚を突いてきます。

この魔境からの脱出は、まず魔境に囚われていることを認識し、すべてが「みこころ」の内であることを理解することです。この一連の解釈が「何をわかるべきか」ということを教えてくれます。

聖典を見ていると明らかなように、ブッダもキリストも常に魔物に周囲をうろつかれていました。

この世界は光と闇の絶妙なバランスの上に存在しています。それは即ち、強い光明を放てば、当然闇もまた深くなるということです。

誰もが魔境に陥ります。これはブッダやキリストの例を見てもわかるように、悟った後でも魔は挑んでくるということです。悟った後でも、隙があればマインドに入ってこられるということなのです。

特に、一番手強いものに、悟りの瞬間に入ってくるものがあります。これに入られると、彼のマインドは「私こそが神だ」という意識に乗っ取られてしまいます。「私は神だ」「私が神だ」「私こそが神だ」これらの言葉のニュアンスは、同じように見えても、それを使う傾向によって魔境に飲み込まれているかどうかがわかります。魔境に飲み込まれると、その後、おかしなことを教えたり行ったりするようになります。魔境には常に注意をしておく必要があるのです。

そもそも魔は、創造の始まりから存在しているため、我々人間ごときが判断できるものではありません。よって、目の前の魔境を判断する際には、すべての状態の背後に横たわっている神にすべてを委ねることが大切です。

当然のことながら、魔は人間を覚醒状態であると錯覚させる力も持ち合わせています。よって、この世界には魔による覚醒が存在しているということです。魔によって覚醒したり、悟った直後に魔境に飲み込まれたりすることは、実に恐ろしいことです。

なぜこれらのことが起こるかというと、人間にはエゴがあるからです。エゴが魔境に堕ちる原因になります。そこで、伝統的な修道の世界では、まずエゴに取り組ませ、エゴを捨てさせます。もしくはコントロールできるように訓練するわけです。満たされないエゴや不満や怒りに満ちた状態では、悟りはかえって危険なものになります。

そこで、グルは時間をかけ、弟子を愛し導くことで、弟子のエゴの不満を解消していきます。個々の悟りの状態を完成するまでにかかる時間が長かったり短かったりするのは、エゴ次第というところです。「自分は大丈夫」ということは決してありません。魔境は神が存在しているのと等しく存在しているからです。善もあれば悪もあります。すべては完璧なるバランスの上に成り立っているのです。

よくよく自分の意識を観察して、マーヤなのか魔境に陥っているのかを判断しなければなりません。突然怒りが湧いたり、悲しくなったり、苦しくなったり、落ち込んだり……これらも魔境ですが、反対に慢心を抱いたり、虚栄心に満ちたりするのも魔境です。

我々は生きているなかで、さまざまな感情を経験します。それは、常に天国と地獄が自分の魂を引っ張り合っていると解釈すると良いでしょう。必ずしも善である必要性はありません。善か悪かではなく、愛があることが大切なのです。

導師

グルは日本語で導師と書きます。書いて字のごとく、弟子を導く者です。教えを説くだけなら教師で良いのですが、なぜ導師と呼ぶかというと、我々弟子は探究の途上で幾度となく魔境に堕ちるからです。慢心によって魔境に堕ち、罪悪感によって魔境に堕ち、さまざまなトラップによって魔境へと飲み込まれます。我々にエゴの働きがある限り、我々は魔境を経験し、その積み重ねが弟子を導師へと育てていくのです。

しかし、この魔境の中でも最も恐ろしいのが、慢心の魔境です。弟子が慢心を起こして、師に対して反抗的になると、導師も弟子を導くのが難しくなります。よって、古くから、弟子は導師に対して、まずは絶対的に服従するという心構えを養わされるのです。

インドやチベットでは、師弟間の物語がたくさんあります。こうした物語は、すべからく弟子のために存在しており、弟子はどのような心構えで師と向き合うべきかを、我々に教えてくれます。特にチベットのカーギュ派は口伝の教えというだけに、師弟間の物語がたくさん残されています。開祖のティローパと弟子のナローパ、ナローパとマルパ、マルパとミラレパ、ミラレパとガンポパというように、ティローパからガンポパに繋がる師子相伝の教えは、これらの師弟間の物語を通して我々に学ぶことの意味を教えてくれています。

しかし、これらの美談は、あくまでも師の側が不動であることを前提としています。師の側に師として備わったものがなければ、弟子を導くことは不可能です。

私は今まで多くの師に師事してきました。

これらの師から学んだ重要な部分は、「師とは、教えるということよりも、何を教えてはいけないかをわかっていることだ」ということです。なかでも、ミンリン・ティチェン師からの教えは、他の師とは違い雑談も多くありました。そして、それらの雑談の中から、たくさんの教えを頂いていました。ただし、その時点ではその中にある教えが重要であるとは理解していませんでした。自らが目覚めを経験したときに、師の教えがいかに試されていたかが理解され、驚いたのです。

人間は自分がわかっていないことを話されても、理解ができないので、聞き流す傾向にあります。しかし、それは聞いていないわけではありません。私は、目覚めと共に師の教えが蘇ったことを、奇跡のように感じています。まるではじめて聞いたかのように、師の言葉が生き生きと蘇るのです。もちろん、それまでは理解していないので、記憶に残っていなかっただけなのです。

この世界で師と呼ばれる役割を持つ人は、神の恩寵によってインスパイアされます。目覚めた魂は周りの人々に影響を与えます。

しかし、弟子としての経験を積んでいないと、師とはどのように振る舞うべきかという手本がないため、自己流になってしまいます。自己流で弟子を導くと、大きな落とし穴に落ちてしまいます。師に対して、愛と畏敬の念をを持ってその導き様を観察することによって、弟子として成長し、のちに教える役割を担ったときに、その役目を果たすことができるようになるのです。

我が師は、愛がすべてだと常に教えてくれました。師から溢れ出る愛は、尋常ではありませんでした。大乗仏教の教えの要である空性に関しても、師は独特の教え方をしていました。

空とは何もないというわけではない。
そこには何かが在る。
その何かとは愛なのだ。

普通の大乗仏教における空性の解釈の中では出てこないような解説です。どうしても仏教というと教学が先行してしまい、体験の本質に触れることが難しくなってしまいます。しかし、我が師は空性の本質をこうしてダイレクトに伝えてくれました。師が言う、「空性とは愛なのだ」という一説は、仏教教学に囚われていると、疑問に思うかもしれません。しかし、私の経験においてもこれは真理です。

究極の状態には、常に愛が存在しています。というよりも、愛のみがすべてを支配しています。この世界が存在するのも、我々一人ひとりが存在するのも、すべては愛ゆえなのです。愛のみが存在し、愛こそが究極のあるべき状態なのです。

我々はマーヤによって愛の不在を経験します。そして、その愛の不在が我々を苦しめます。本来、人間は愛を持って生まれ、愛と共に生き、愛と共に死んでいくものなのです。しかし、愛を感じられない人生を送ると、マーヤによって曇らされ、本質を見逃してしまうのです。人類はその苦しみの中に置かれているのです。しかし、なにゆえにその苦しみがそこにあるかというと、愛を見つけるためなのです。

人生とは真の愛を見つけるための旅路です。

私の父は、最後の最後に病院のベッドの上で神の愛を体験し、神の愛に満たされながら向こうの世界へと旅立っていきました。私はこの父の死に立ち会い、悲しみではなく、表現し尽くせないほど大きな神の愛に圧倒され、ベッド脇で神への感謝と愛で泣き崩れました。神とは無縁の人生だった父が、最後に神の体験をし、その愛に吸収されていく姿は実にドラマチックでした。

私は、「空性とは愛である」という話をそれまで聞いたことがなかったので、当時は驚きました。しかし、師は愛情をたっぷり込めて愛の大切さを教えてくれたものです。師の教えは常に愛に根差しており、その愛は教えを通してひしひしと伝わってきました。師の所作のすべてが愛に満ちていました。机の上のグラスを動かす動作の一つひとつにも愛が込められていました。師は真の愛の体現者であり、愛そのものでした。時に厳しく戒めたかと思いきや、次の瞬間には満面の笑みになり、愛が溢れ出てきます。弟子である私は師の愛の中で最も大切なものを授かりました。

我が師は、仏教の中に在りながらも、仏教という枠を超えているようでした。それは教えのさまざまな部分に表れていましたが、「自動スケジュール」もその中のひとつです。

師は、「現象は自動スケジュールだ」と言っていました。それは、必然的であるという意味ですが、それは当時の私にはあまりピンと来る言葉ではありませんでした。ところが、私が「みこころ」を体験したとき、師匠の言っていた意味をやっと理解しました。

私が見たみこころの世界は、次のようでした。この宇宙は時計仕掛けのようにできており、すべての存在物が時計の部品のように関連し合って存在しています。そこに、神の愛という意志が動力源となり、精密な連動をすることでこの宇宙は展開しているというものです。この世界をそのように見たときに、死にかけた人が経験すると言われる「人生が走馬灯のように駆け巡る」という現象が起こりました。現時点から産まれるまでのすべての瞬間が逆回転で瞬時に蘇り、すべてが完璧であったと理解されました。

私のみならず、すべては完璧なる連動をしており、その全体を神が愛によって動かしている。この理解は自分の過去のあらゆる後悔や罪悪感を完全に鎮め、すべてが愛を理解するために起こっていたのだと悟りました。このときに、師匠が言っていた「自動スケジュール」の意味がやっとわかったわけです。「なるようになる」とは、ただ、なるようになるわけではなく、「絶対にそうなる」ということなのです。師はすべてを既に語っていたのでした。私は、ゾクチェンだの、修行法だの、灌頂（かんじょう）だのと、マーヤに属することばかり師匠に尋ねており、まったくトンチンカンであったと恥ずかしくなりました。師が見据えていた境地は、仏教という枠さえも超越し、それは一切の形象を超えていました。

「空性とは愛である。」

なんという響きでしょうか。

この師より与えられた愛によって今の私は存在し、師の教えが菩提心であり、愛であることによって、その感覚は私の中で今も生き生きと存在しています。

師弟とは、愛の転移です。師の愛を経験することによって、弟子のハートに愛を育てることです。これは、愛のみならず、師の意識そのものを転移する場合もあります。師の悟りし意識が弟子にそのまま移植されるのです。

この道を歩むにあたって師匠の存在が不可欠であると言われる理由は、こうしたことの中にあります。人として成長するために親を必要とするように、精神的に成長するためには師の存在が不可欠なのです。

もうひとりのグル

ここで、すべての人に本来備わっている、あるグルの話を付け足しておきましょう。

それは「人生」です。

普通、人生というと、自分が歩いた足跡として捉えると思います。しかし、私は違います。人生は私の一歩先を歩む者であり、私は彼の足跡を辿っているだけなのです。私が人生で経験するすべては、彼の導きによるものなのです。

もちろん、我々は自分の人生で経験したことからしか学ぶことができません。経験していないことからは、学びたくても学びようがないのです。私からすると、私の前には「人生」という、私ではない意識体が歩んでいるように見えるのです。

宗教

宗教というものは、世界中に存在しています。

私は十代の頃、飛行機の中で書かされる入国審査表の宗教の項目に面食らいました。おそらくほとんどの日本人が、なんと書いたら良いのか悩むでしょう。家は仏教だろうなと思って「仏教」と書いた人は多いと思います。

本来、仏教の聖典を読んだことのない人が、自らを仏教徒であると名乗るのは、とても恥ずかしいことです。キリスト教徒としての自覚のある人は「クリスチャン」と書いたと思いますが、キリスト教徒は必ず聖書を読んでいます。これは、信仰に対して自覚的だからです。ところが、信仰に対して自覚がないにもかかわらず、お墓がお寺にあるからという理由で「仏教徒」と書くわけです。

このようなことは、ことに日本人に限って起こっていることです。多くの国では、信仰する宗教のことをよく知っており、宗教によって人のアイデンティティが成立すると考えています。ゆえに、宗教を聞かれるのです。日本では、お坊さんですら原始仏教経典を読んだことがない人もいるので、他宗教と比べると、自分の信仰する宗教に対する理解が低いと思います。仏教は、長い間信仰されてきた宗教であり、その間に幾度となく危機的状況を経験したという経緯もあって、教えが一定ではありませんでした。仏教は小乗から大乗へ、さらには大乗から金剛乗へと、さまざまに変化しながら生き延びてきました。そして、その都度、新たなる教えが生まれてきました。そのため、仏教の全体像を摑むことは骨の折れる作業です。ですから、日本のように、大乗仏教と言えば、大乗仏教のことを学び、何々宗であると言えば、その歴史と教学を学ぶということで終わってしまうことも多々あるのです。

しかし、仏教はブッダから始まる教えです。キリスト教徒が穴が開くほど聖書を読み込んでいくのと同じように、ブッダの生きざまとその教えを記した仏典に精通しなければ、仏教徒と名乗るには少し弱い気がします。私はかつて、仏教のみならず、ヒンドゥー教、シーク教、キリスト教、イスラム教の世界を見てきましたが、彼らは聖職者だけでなく、一般の信者たちでさえ、聖典を相当程度読み込んでいました。

しかし、この無宗教であるという日本の現状が現時点でメリットとして働いている部分もあります。なぜならば、宗教とはある意味でマーヤに属することだからです。

宗教の目的は、人間の本質を悟らせることです。しかし、過去二千年間、人類は個の成長よりも社会の確立に取り組んできました。もちろん、それぞれの個が完成されるところに必然的に出来上がる社会が一番理想的ではありますが、人類はそれほどまでには円熟していません。どうしても自己中心的であるため、個の成長を促すよりも、それらの人類を束ねる受け皿としての社会の構築に取り組んだわけです。そうなると、社会を束ねる法制度が必要になります。現代日本のような法治国家というのは珍しく、ほとんどの国々では、宗教がその役割を担っています。なぜ日本で法治が成功したかというと、我々の国民性が大きく寄与していると考えられます。法律に則って罪を犯さないように生きるということは、我々が聞くと当たり前のことです。しかしこれが、貧しい国にあって、人の物を盗まなければ生きていけない、あるいは、生き残るためには殺さなければならないなど、それぞれの国の事情を含めて考えると、一筋縄でいくものではありません。このような場合には、人の良心に働きかけるしかなくなります。つまり、神様が見ていて、死後、審判によって人類は裁かれるということなどを信じさせることによって、社会の秩序を作り上げてきたのです。

宗教というのは、そもそも人類の成長を促すために存在していますが、このように、人間の受け皿としての社会を構築するために利用されてきたのです。その宗教の開祖は、神の臨在や愛を教えの核心として説いたにもかかわらず、のちの人々はその部分ではなく、マーヤとしての社会の構築のために宗教の教えを利用したのです。

これはこれで問題ないのですが、これによって生み出された社会の枠組みは、個々の人間に必要以上の責任感を負わせます。これが、我々が社会的なマーヤに陥る理由です。統治する側からすれば、より良い社会のためには、個々の個性はない方が都合が良いということですが、国民からすると、本質を見失いマーヤに陥っていくということになります。

こうして、宗教というのは本来の主題から逸れて発展してきてしまいました。

しかし、聖典を読めば、先達の素晴らしい言葉に巡り会うことができます。彼らは、明らかに社会ではなく、個の方に向いていました。アメリカの大統領は、就任式のときに聖書に手を置いて宣誓します。イエス・キリストの御名の下に、大統領となるわけです。しかし、イエスはそもそも社会から迫害されていた異端児で、社会というものを敵視していました。それが現在では、キリストの御名の下に国家が成り立っているのです。これは、昔の国家よりも国家というものが良くなってきているという証であると思います。

もうひとつの問題点は、人類全体がマーヤに陥っているところにあります。このマーヤの影響は、本来は神の中に世界があり、神の中に宗教があるのにもかかわらず、その宗教の中にある神を信仰してしまっているというところにあります。それによって、他の宗教を認めることができなくなってしまっているのです。まず、人類が陥っているこのマーヤを取り除かなければ、世界平和が達成されることはありません。

そもそもの宗教の目的とは何かというと、仏教の「僧伽（そうぎゃ）」という言葉に見ることができます。

仏教では、「三帰依（さんきえ）」が重視されています。三帰依とは、仏、法、僧を表しています。仏はブッダ、法は宇宙の法則の教えであり、僧は僧たちの集いを意味しており、これに、全身全霊で帰依せよと教えるわけです。仏教も、数人の弟子しかいなかった頃には問題が生じなかったものの、弟子の数が増えてくると秩序が必要となってきます。そこで、必然的に規律が生まれてくるわけです。そこで、外出時間を決め、食事の時間を決めるなど、細かい規律が生まれてきます。僧伽が大きく成長してくると、そこには社会が生まれてくるわけです。これが宗教となります。

ブッダはいかなる集団も作るべきではないと言い続けましたが、弟子が増えると、そうも言っていられなくなってしまうのです。これは実に悩ましいことです。

特に、イスラム教やシーク教などのように、ある程度はじめから社会を意識して出来上がった宗教は別として、ブッダのように、本来は真理に特化している教えと、社会性を融合させるのは難しいことです。「教えが立てば社会が立たず」という二律背反がここには存在しています。

そういう意味で、チベットは成功例だと考えられます。ブッダの教えを重視し、法を軽んじたビジネスが行われることを良しとしないという姿勢が浸透しているように感じられます。日本で行われているあらゆるビジネスは、ブッダの法とは折り合いがつきません。ブッダの教えに合わせるならば、儲けるために仕事をするのではなく、儲けた者はその儲けを善行として施さなければならないというのが、ブッダ式の社会システムになります。

ブッダの説く僧伽とは、あくまでも真理を実践する者たちが集い、共に生活することで、日常が障害でなくなることを目指しています。そのためには超大口のスポンサーを必要とします。しかし、ここでの目的はあくまでも個人の真理の達成であるため、社会の構築とはほぼ関係のないルールでメンバーを律する戒律に従うことになるのです。

こうして、宗教というのは、それぞれの国柄や民族などの影響下で特有な形に成長していったということです。

ただし、宗教の定義は教祖・聖典・信者集団の三つがそろうことです。よって、日本の神道は教祖も聖典も信者もいないため、宗教とはみなされません。あくまでも信仰という域です。神道には宗教のような決まりごとや戒律はありませんが、神官や巫女は神々と繋がるために穢れを取り除く必要があるので、精進潔斎を心掛けるということはあります。しかし、一般の信奉者を縛るルールは基本的にありません。

天皇を頂点とする国家神道も、この国の精神性の核となっているものの、国民に対する強要は一切ないので、これすらも宗教的ではありません。この日本という国の信仰形態は世界的に見ても稀なケースなのです。

私は芸術家の多い家系で育ったので、育った環境はリベラルでした。しかし、私はこの天皇を軸とする、世界的にも稀に見る宗教ではない信仰形態は、稀有なものだと思っています。

さらに、天照大神よりも上の神々は数多く存在しますが、基本的には天照大神という女神が頂点にあるということも、世界的に見て稀有です。国の信仰の基が女性神というのは面白いことです。日本人の性質は、日和見的でも優柔不断なのでもなく、実はある意味で女性的なのかもしれません。漢字が漢（男）であるのに対し、ひらがなは女手と言われるように、現在我々が基本として使っているひらがなが女性性であることとも関係があると考えられます。

そのような意味において、日本という国は隠れた母性が支配する、世界的に見ても珍しい国なのです。

第二部

講話と問答

I
自己を探求する

自己を超越している者は
現象を超越している

自己を超越している者は
自己に留まり
すべてを超越している

これが本来の
自分の在り方である

――日々、自由で幸せでいたいと思っても、過去や現在の出来事、将来起きることなどに気をとられて、そのような心持ちになれません。

私たちの意識は、通常、現実世界の現象に囚われています。毎日、起こったことに対して反応して生きています。しかし、与えられた現象に対してただ反応しているということは、完全に現象の奴隷になっているということを意味します。自分からは、何もクリエイトしていないのです。それが、「現象に囚われている」ということです。

ところが、私たちの意識というものは、もっと自由です。本来は、現象に囚われてなどいないのです。そのことを理解して、私たちが意識体として覚醒することができるならば、私たちは「現象を超える」ことができるということです。そうすると、かつて起こった出来事や、これから起きる出来事の支配を受けなくなります。本当の自由はそこにあります。

つまり、私たちが目指そうとしているところは、実は、日々起こっている現象とは関係がないのです。現象が問題なのではなく、私たちの意識が問題になってくるのです。「自分」とは、この「身体」ではなく、本当は「意識」である。そこに目覚めることが重要です。

その意識のことを「真我」と呼ぶことがあります。真我というものは、今まで神と表現されてきたものですが、私はそもそも真我という単語をあまり使いません。なぜならば、この日本語は哲学用語であり、アートマンを説明するための言葉だからです。説明のために使うことはありますが、エネルギーが乗らない言葉を使うより、「神」のようにエネルギーが乗る言葉を使いたいのです。しかし、神という言葉は人によって認識が異なり、誤解を招きやすい言葉です。私が伝えたい「神」という言葉は、私の認識から来るものであり、これが皆さんに適切に伝わるかはわからないからです。

さらに真我という言葉を使うことによって、真我というものが私たちの内側に存在するものと考えてしまうということが起こります。しかし、その解釈は既に真我ではありません。なぜならば、実際に真我というものが私たちの体の中に在るわけではないからです。

ブッダがなぜ、アナートマン、「無我」と言ったのでしょうか?

私はブッダは真我の存在を否定したのではなく、私たちが「真我が在る」と考えるならば、それは既に真我ではないということを意味したのだと理解しています。真我は存在するけれども、真我という言葉でそれを理解する限り、そこには絶対者ブラフマンとの分離があり、それは既にそれではなくなってしまっているのです。

真我とは物質ではないので、「私の中に真我があるのだ」というような誤った観念を持っていると、真我を捉え損ねます。ところが、「無我である」という理解をしているならば、真我に対して誤った観念を抱きようがないので、真我というものを正しく経験できるということです。

これに対して「神」という言葉には内も外もないので、神はブラフマンとアートマンという境界を持ちません。外を指しても神、内を指しても神であり、これらを別のものとして認識することはないのです。

人間の認識とは恐ろしいもので、真我があると信じると、真我を魂や心臓などの固有のものを認識するように認識します。しかし、それは真我ではありません。真我とは宇宙であり、さらに宇宙を超えたものであり、すべてであり、「私のもの」ではないのです。

これは、すべての源であり、純粋な意識体であり、これこそがあらゆるものを創り、そして、あらゆるものの中に浸透している意識体なのです。そして、私たちもこの意識に到達することができる。これに「なる」ことができるのです。なぜならば、これは「既に在るもの」だからです。今この瞬間にここに在るものであり、得ようとして得られるものではないのです。そして、今ここに在ることに気づくことが、真我の目覚めです。

真我に対して「個我」というのは、現象と関わっている自分の低い意識であり、「自我」になると物に支配されている自分の意識のことになります。つまり、個我や自我は、常に現象に関わり続ける段階です。しかし、現象と意識が関わり続けている限り、そこに幸福はないのです。常に超越した意識という状態にあるということこそが、すべての現象を超越することに繋がります。そして、そこに至らなければならないということになります。

真我、アートマンに目覚めることができるのならば、すべてを超越することができます。

個我や自我を超越することができるのです。

——では、どうすれば「真我」に目覚めることができるのですか？

「どうすれば」が、重要なポイントになってきますね。それには、さまざまな方法があります。

ある人たちは、自分の意識に変化をもたらすであろうものに対して祈る、ということをするでしょう。これは宗教的なアプローチです。自己の実現というレベルで考えていけば、瞑想をするという方法が出てきます。あとは、自分の認識の仕方にかかってきます。

例えば、スプーン曲げをする人は、あの硬いステンレスでできたスプーンを曲げてしまうことができます。しかし、ほとんどの人は曲げることができません。なぜならば、スプーンというものは硬くて曲がるわけがない、と思っているからです。しかし、スプーン曲げをする人は、スプーンは曲がる、と思っています。それを曲げるときは、スプーンがなくなる、と感じられると言います。薄っぺらい紙のように感じられる、ということもあるのだそうです。要するに、彼らは曲げようとしているのではなく、曲がるものだと思っているのです。

『マトリックス』という映画があります。この作品は悟りの世界観を描いた映画で、これまでの映画史にはなかった展開が見る者を圧倒しました。話題となった特撮以上に、内容は革命的です。一作目では覚者へと成長する主人公を描き、二作目、三作目と、宇宙観、世界観へと展開していきます。主人公ネオの覚者としての視点で映画は展開していきますが、随所にわかっていないとわからない言葉が散りばめられています。その中で、少年がスプーンを曲げるシーンがあるのですが、主役のネオに「スプーンを曲げようと思ったら、曲がらないよ。真実を見なくちゃ。スプーンはないんだ」と言う場面があります。スプーンが「ない」と思うと、ネオも曲げることができるようになります。

私たちはこの現象の世界で生きていて、この世界で何か問題が起きるたびに、その起こった問題を解決しようとします。しかし、それは常に失敗します。現象をなんとかしようとしても、うまくはいかないのです。「スプーンを曲げようとしてはいけない、スプーンなんてない」と思うことが必要になってきます。つまり、現象世界をなんとかしようとするのではなく、「現象なんてない」と思うことが大事だということです。

要するに、自分とすべての問題というのは、「私」という存在と肉体との同一視から起こっているのです。自分とはこの身体だと思い込むことが、問題を呼び込む原因になっています。自分はこの身体だと思うということは、この身体と関わることはすべて現実になるということを意味します。しかし、私は身体ではなく意識であると思った場合、この外に存在している世界というのは、すべて、マーヤになる、ということなのですね。

般若心経に「色即是空　空即是色」という言葉があります。「色 即ちこれ 空なり　空即ちこれ 色なり」と書いてあるわけですが、「色」というのはこの現象世界のことです。そして、「空」というのは意識の世界のことです。ですから「この世界は、すなわちこれ、ない」ということであり、しかし「ないといえど、すなわちこれ、在る」。要するに、現象世界というものは「あるけどない、ないけど在る」という意味なのです。

この世界で生きている私たちは、「色即是色」で生きているわけです。「この世界は、すなわちこれ、この世界なり」と。要するに、「この現象世界はある」と思っているということであり、その考え方では、常に自分のことを縛り苦しめ続けることになります。しかし「この現象世界は、本当はない。本当はないけれど、在る」と捉えることによって、私たちを苦しめているこの現象が、私たちの苦しみの原因にならなくなってくるということです。これが、般若心経の奥義なのですね。

「現実の世界は無であるわけだから、今私に苦しみを与えている現象はないのだ」と私が理解することができれば、この現象からやって来る苦しみの連鎖から逃れることができます。ですから、禅宗・座禅の世界では「無、無、無、無……」と念じるのです。自分に「ない」と言い聞かせ、念じていくのが禅の修行です。

また、スーフィーの格言のひとつに「神を現実とせよ、されば、神は汝を真実とす」という言葉があります。「神を現実とせよ」ということは、この世界が現実になっている普通の人の意識の状態から、神が現実であるという意識の状態になりなさい、ということです。そうすれば、神があなたを真実とする、つまり、あなたを覚醒させます、悟らせます、真理に目覚めさせます、という意味なのです。

これは、神を絶対肯定することによって、現象世界を否定するというやり方です。禅宗の世界では、無を念じることによってこの現象世界を吹き飛ばすやり方を取りますが、やりたいことは同じです。つまりは、「この現象世界を吹っ飛ばしたい！」ということなのですね。この現象世界を吹っ飛ばし、意識体である自分を目覚めさせるということなのです。

ですから、私たちがどのようにすれば良いかというと、普段はある、見えている、感じられているこの世界は「ない」ということを、ひとまず念ずるということになります。しかし、それはあくまでも「方法論」であって「答え」というわけではありません。

――無を念じることは「答えではない」と強調されるのはなぜですか？

人間はそれぞれの人生の経験によって、物事の認識の仕方が異なってきます。経験が個々の認識を作り出し、その認識というある種の思い込みが、物事を判断する基準になっているのです。

ほとんどの人の場合、そこには「誤認」というものが常につきまとっています。私たちは、勝手な思い込みと共に日々生きているのです。

例えば、テレビのコマーシャルでこのようなものがありました。ある人に「この二割を貯金しなさい」と言うと「無理だ」と答えます。しかし、言い方を変えて「この八割で生活しなさい」と言うと「やってみます」と答えます。つまり、いかに私たちの認識が言葉によってコントロールされているか、ということを言いたいのですが、言われた言葉に対して誤った反応をしてしまうことで、誤った理解に導かれてしまっているということが多々あるわけです。


「これはない」と念じることの意味は、私たちの意識が「この現象が実在である」と頑なに思い込んでいる、その認識を崩していくということなのです。とにかく、自分の固定観念を壊すことから始めなければいけないのです。学校や親、育ってきた過程で、私たちはいろいろなことを吹き込まれて生きてきています。そして、先ほど言ったように、「スプーンは硬いものだから曲がらない」という認識に人は導かれてしまいます。この「スプーンは曲がらない」という認識を、いったん崩さなければならないのです。「なんでも起こり得るんだ」という意識を持つということです。自分の思い込みを崩さない限り、私たちは自由になれないのです。

多くの人が、自分の経験や知識で思い込みの世界に入ってしまっています。思い込みを崩すために「ない」と念じるのはひとつのテクニックではあります。

この世界はない。しかし、この世界は「在る」のです。「この世界はない」という経験をしてから、「この世界が在る」に帰ってくるのと、「この世界は最初からそのままある」と思っているのとでは、意味が全く違ってきます。

例えば『十牛図』という画があります。その画の中には、最初から円が描かれています。少年が牛を探し、それを捕まえると、円になります。最初からこの円は在るにもかかわらず、私たちは中の画ばかりを見ているから、この円が最初から「在った」ことに気づくことができません。しかし、少年が牛を捕まえて、全部消えた瞬間にはじめて「円が在った」ということに気づきます。これが「空」の境地、「空性を悟る」という境地です。

『十牛図』の最後には、布袋さんが袋を担ぎ、町に酒を飲みに行く画が描かれています。要するに、空を悟ったのち、修行者は布袋さんのようにこの世界に戻ってくるということです。これが、十枚の絵だけで悟りの境地を描いた、禅の『十牛図』というものです。

これが、最初から布袋さんの状態であったら、どうしようもありません。ただの飲んだくれです。これだけでは、ただの普通に生きている人なのです。しかし、その前に一度、これらの画が指し示すすべてを経験することが大事なことなのです。空性を経験してから布袋さんとして帰ってくることが大事なのです。

同じように、この現象世界で生きていて、生まれ育ってきた状態の中で見ていたこの世界を最後までそのままの形で捉えていたら、人生というのは何も変わりません。ところが、一回「色即是空」という境地を経験したら、そののちに「空即是色」という画が起こってきます。結局、「現象世界はない」ということを念じることによって、「色即是空、空即是色」ということが、意識の中で覚醒現象として起こるということです。

それらは、教えられることではありません。読んで学ぶことでもありません。知識ではなく、体験です。そして、この体験が自分のものになったとき、その人はすべてを知ることになります。

人によっては、布袋さんが歩いていく画が最後ではないかもしれませんし、場合によっては、もっと美しい画になるかもしれません。人によっては、そこに神様の画が描かれているかもしれないし、九枚目も花の画ではないかもしれません。それらを経験するのはすべての人にとって共通であるけれど、この中になんの画があてはまるかは、人によって違うということです。

まず、日本人というだけで、日本人として生きてきた経験があります。他の国の人とは違います。そして、それぞれの人が、それぞれの生い立ちの中で経験をしていくわけですから、どんな画になるかは皆さん次第ということです。例えば、ある人は「うわぁ、すごい！　神だ。これが『みこころ』なんだ。神が全部仕組んでやっていることなんだ！」という結論に到達してしまうかもしれません。私は、人によってそれぞれで良いのだと思っています。それぞれの風土、文化、環境、さまざまな考え方が、自分の結論を微妙に、または大幅に変えるでしょう。そこが問題なのではなく、覚醒した自分の意識が問題なのです。

大事なことは現象を超えること。この世界が問題なのではなく、自分の意識が内なる覚醒をすることです。そうでなければ、何も変わらないのです。

——魂と真我は同じものですか？

真我、個我、自我など、インドの聖典などにはいろいろな言い方が出てきます。魂という言葉は日本に昔からある言葉ですが、真我はそうではありません。

真我というのは、すべての中心に在るものであり、アートマンと呼ばれるものと同じものです。偏在しているけれど、自分の中にも在るものです。そして、バガヴァッドギーターの中にも出てくる個我という言葉、これはサンスクリットで、ジーヴァのことです。ここにいるすべての人の個性の違いは、この個我によるものです。あなたの真我と私の真我は同じものです。しかし、あなたの個我と私の個我は違うもので、ここにカルマなどのプログラムが含まれています。各々の人が個性を持った人生を生きるために必要なプログラムチップがこの中にあり、このプログラムチップに従って私たちは動いている、というようにたとえられます。そして、この個性を持った人が生きるというところから、私という自我、つまりエゴが生じてきます。つまり、個我というのは潜在意識の深いところにあるプログラムであり、自我は顕在意識、表われているものだと言えると思います。そして、真我は常にそこに横たわっているものです。

それでは、魂とは何かというと、おおざっぱに、この真我や個我というものをひっくるめたときの言い方だと思います。アートマンやブラフマンをひっくるめて、神と言うのと同じように。

インドにはインド哲学があり、ひとつのことを表現するための語彙がとても多くあります。それに対して、日本語は情感的であり、感性に訴える言葉が多くあります。日本語がハートの言語だとすると、インドのサンスクリットは頭から来る言語ではないかと思います。この「魂」や「神」という言葉はすごく日本的な表現です。曖昧さを残しておくことを美とする感性。他の国からは敬遠されるかもしれませんが、白黒つけず、どちらでもないことを良しとする感性です。英語にはグレーゾーンがありませんが、日本語はグレーゾーンが広いのです。

ですので、インドで言うところの真我や個我、マナスやブッディ……そういうものから人間は創られているとされていますが、それらをおおざっぱに「魂」という言葉でひっくるめて表していると言えると思います。

日本人は、ごく短いセンテンスで自分の気持ちを相手に伝える能力があります。「魂」も「神」も「愛」も、一言にどれだけのものが含まれているでしょうか。日本人からすると、すべてが神です。川も神、山も神、木も神です。それに対してサンスクリットで「ブラフマン」と言うと、それそのものしかありませんね。

このように、漠然としていながらも、核心をつく言葉が日本語にはたくさん存在しているわけです。そして、その中でどの神を意味しているのかを、前後の文脈から感覚で摑んでいくというのが、日本人の得意とするところです。

自分の情熱を込めたことに対して、「魂を込めた」という言い方をしますね。私も今、魂を込めて話しています。しかし、本当に魂が入っているのかというと、当然のことながら魂は入っていません。「気合いを込めました」という意味での「魂が入っている」なのです。

日本語というのは、ある意味で直球系、以心伝心ランゲージ。神様から約束されている言語だと思います。

――将来に対する恐れの気持ちがたびたび湧いてきます。これはなぜ起きるのでしょうか？　どう対処すれば良いのでしょうか？

恐怖の根源というのは、死に対する恐怖、失ってしまうことに対する恐怖です。つまり、すべての人に共通しているのは「自分がなくなること」に対する恐怖です。とにかく自分にとって大事なのは、「自分があること」です。自分を失うことはすさまじい恐怖を呼び起こします。さまざまなものに対する執着は、そこから生まれてくるのです。

環境が変わるなどといった、「変化」に対しても、人は恐れを抱きます。変わっていくことに対する恐れの源もまた、死だと思います。毎月給料が入ってくるという安心を得るために働きます。働かなければお金が入らず、食べていくことができなくなるからです。食べられないというのは、死に繋がります。お金を貯めるのも、食べ物を確保するのも、結局は、自分が死なないようにするための行動です。

ところが、真我の本質を悟っていると「なくなる」ということが実はないということがわかります。あくまでも、私たちがマーヤの世界における認識で生きているために「なくなる」ということが出てくるのです。生じたものは滅し、得たものはなくなるというのは、マーヤの世界特有の出来事なのです。

悟りは得るものではないということは、昔から言われ続けていることです。悟りとは、最初から永遠に存在し続けている価値のあるものであり、得るものでも到達するものでもなく、「在る」もの。その状態を理解すると、私たちは失うものなど何ひとつとしてないということがわかるのです。「死ぬ」ということは当然ありますが、死んだらなくなるのかというと、死んでもなくならないのです。その人の意識はその後も生き続けるからです。今この次元において、自分の愛する人との別れが起こったときに、その人に対する今生の執着から涙するわけですが、その人を永遠に失うわけではないのです。

悟りという視点から見れば、死もないし喪失もありません。今まで私たちが持っていた恐怖はそこですべて消えてなくなります。神の意図である「みこころ」が行われ、そのみこころの中ですべては起こるべくして起こっている。ただ、私たちのマーヤが「失う」というところに恐怖を感じさせます。そこから罪悪感を抱いたりするということも起こります。

すべてを超越するには、神と、そのみこころが行われているということをわかるしかない、ということですね。

――最近、ものすごい死の恐怖を感じることがあり、本当の目覚めは、この「私」が死ぬということではないかと思いました。死の恐怖について教えてください。

死の恐怖がどこから来るかというと、あくまで、肉体よりもエゴから来るものです。エゴを滅ぼした人は、肉体の死はもう怖くありません。しかし、エゴを滅ぼしたことのない人は、肉体の死を恐れます。死が怖いと思っているかもしれませんが、実は、人間は肉体が滅びるのを恐れているのではなく、エゴが滅びるのを恐れているということなのです。

昔から「死ぬ前に死ね」という言葉がありますが、やはり死ぬ前に死ななければなりません。それが「目覚める」ということであるわけですが、それはエゴの死を意味しているということなのです。

エゴが死ぬ恐怖というのは、何か大きなことを理解する前には必ず経験するものです。その死の恐怖を経験して、大きな理解が自分の中で生じてくるのです。

覚醒や悟りがその人を訪れるかどうかを決めるのは、私たちではなくて、かれです。かれ、つまり絶対者がその人をどのように導くかは、かれがすべての人たちに対してそれぞれのプログラムを行っていると私は考えています。それが「みこころ」というものです。ですから、簡単に悟ってしまう人もいれば、悟らない人もいるだろうし、努力しても悟れない人、努力して悟る人、いろいろなプログラムがあります。また、努力して悟った人が皆同じかというと、やはりそれぞれのプロセスを経験します。

この世界の美しさというのは、やはり多様性なのです。人間も一人として同じではないし、空も一日として同じ日はありません。これが、マーヤの世界の美です。真理というのは変動しないものです。絶対変わらないものですが、このマーヤの世界は常に変わります。そして、その常に変わるものの中に美を見ていくことができます。

春、花がたくさん咲いて美しいと思うのは、今まで枯れていた景色の中に花が咲くことで、景色が変化するからですね。そして、なんといっても美しいのは秋の紅葉です。今まで青々としていた緑が、すべて赤や黄色に変化し、全部落ちた後は灰色の世界になります。変化の前に最も美しい姿を見せる、これがマーヤの世界だと思います。

私はマーヤの世界が好きです。この人間のどろどろしたところ、移ろいゆくところが好きなのです。それによって人は苦しむけれど、「苦しめ、それがいいんだ」と思います。そこに美しさがあるではないか、と。ドラマはそういうところから生まれてきます。胸を打たれるのは、そこで苦しみや試練が演じられているからです。このマーヤの世界を、そういうドラマを、神が創造しているということです。私は、それが美しいと思う。

しかし、変化していくためには、必ず前にあったものが死ななければなりません。次に行くためには手放さないといけないのです。

今まではエゴで生きてきたけれど、次の段階に進むためには、今までの自分を手放さなければなりません。しかし、エゴは自分にとってすごくなじみのあるものですから、それを手放さなければならないとき、それは死の恐怖になります。それは、必然的なものだと思います。経験するべくして経験するもの。それがなければ次がないのです。ですから、そのように感じられる恐怖は、とても順調だというしるしです。

――感情は人間の苦しみのひとつの大きな要因だと思うのですが、神は覚者にも感情を残しているのでしょうか？

わかることによって解決する人間の苦しみなどの諸々があります。そういったものを克服したいがために修行を始める人もたくさんいます。その人々にとっては、わかったときに苦しみが消えるということが理想なのだろうと思います。

しかし、わかった人にとっては、苦しみがあろうが、なかろうが、それらはどうでもよくなります。たとえ苦しみがあったとしても良いのです。

わかる前よりも後の方が面白く感じられることがあります。かつては観念を通して世界を見ていたので、さまざまなことに苦しめられていたとしても、それは「ぼかし」がかかったような苦しみです。ところが、わかった後に見える苦しみというのは、ものすごく鮮やかで、はっきりとしていて、クリアーです。このマーヤの世界の美しさゆえに苦しみがあるのですが、わかる前は、早くそれを取り除きたいと思ってしまいます。

苦しんでいるときは、苦しみが自分の全存在の頂点に君臨します。自分という存在が、この感情や執着、妬みや欲望、それらに支配されてしまい、それらを取り除きたくて苦しみます。しかし、いったんわかった意識を獲得すると、それが自分のすべてという状態になるので、苦しみや妬み、嫉妬が自分の中に仮にあったとしても、それが自分の頂点に君臨するようなことはありません。

結局、すべてが自分のわかった状態になるための支柱になっているのです。それらは、どうでもよいどころか、ありがたいことなのです。私という存在をこの世にあらしめてくれている要素のひとつですから。

絶対的な視点を獲得すると、後はすべてただ可愛いだけ。すべてが本当に愛おしく、すべてが綺麗です。

——年を取ることを肯定的に捉えるためには、どのように過ごすことが必要でしょうか？

インドやチベット、イスラム圏やネイティブアメリカンなどでは、老人は智慧を保持する者として敬われています。そして、智慧は譲り渡していくことができます。

教えられたことと自分の体験が合わさって結実するのは、ある一定の年齢を過ぎたときです。浅い経験は、まだ熟していないのです。年を取るからこそ、経験が熟し、実りになります。
今の日本の老人からは、それだけの熟した果実を収穫することができません。なぜかというと、戦後、宗教がなかったからです。宗教とは、内省することです。宗教は、信仰を通して、人生や人の生き方を問うものです。信仰が肝というよりも、それを信仰することによって、どれだけ自分と向き合ってきたかということが重要なのです。

宗教のないこの国では、日常生活でお金を稼ぐことや、子どもを良い学校に入れることなど、これまで外向きの活動しかしてきませんでした。本当は、七十歳や八十歳になった老人であれば、良いことのひとつやふたつ、言えるものなのです。宗教を大前提として自分と向き合ってきた人たちは、その境地を獲得しています。それはある種の悟りと言えます。その人が「人生とはこういうものである」という結論に到達しているということですから。

そのようであれば、老人は若い人たちから必ず尊敬されます。そして、皆が老人を尊敬しているエネルギーが遍満していると、自然と年を取った人に対して手を合わせたい気持ちになります。それは空気に満ちている集合意識によるものですが、今の日本では、老人は世話をしなければいけないものという意識が行きわたってしまっていて、どちらかというと敬われているというより、見下されているように感じられます。精神的な目で見たら、今の日本の現状は悲惨です。老いることは悪になっているのですから。

例えば、アラサーとかアラフォーとか、どうにか年を取ることをポジティブに捉えようとしていますが、そのような言葉を作る時点で、年を取ることに対する認識が悲惨なものになってしまっていることを表しています。このマーヤは本当に良くありません。若いうちしか華がないというのは、終わっている思想です。

年を取れば取るほど徳があるという考え方をしていかないと、人は不幸になります。元気で格好良い立派な老人を見たら、早くあのようになりたいと思うようになるでしょう。本来、人間というのは、人生で起こるさまざまな出来事を経験しながら、自分とは何かについて探求していくものなのです。インドとかチベットとかで自己探求と共に人生を送ってきた老人は、とにかく格好良いのです。そして、敬われます。「面倒を見てあげないと」などと思うこと自体おこがましいというくらい、魅力的なのです。私もこのように年を取りたいなと思います。そして、皆さんもそのようにならないといけません。

――人生における究極の満足というのはなんでしょうか?

普通、人生における満足は、家庭を持つことや仕事の達成で充足されるものであったりします。結婚して子どもができることで、先祖から受け継いだDNAを残す役割をまっとうしたという安心感を得ることのできる人にとっては、真我の話などはお呼びではないかもしれません。何か偉業をなさなければいけない人の中には、天職を見つけ、そこに邁進することで満足を得る人もいます。そして、それらが神のプログラムですから、それはそれで良いのです。

しかし、それらはある程度仮のものです。最終的に自分が死ぬということを考えると、人間は皆不安になります。子孫ができたから、天職をまっとうしたから、もう死んでもいいや、とはなりません。

死ぬときに本当に大往生できるのは、真我が明らかにされている人だけです。それだけが唯一、死を超越しているからです。生きるということは、子孫の繁栄や、天職をまっとうすることでクリアーされるけれども、死だけは超越できないのです。死だけはすべての人にやってきます。死を完全に受け入れられる姿勢がどこからやって来るのかというと、すべてが真我、アートマンであり、死は仮の終わりでしかないということを本当に理解する人にとってだけ、死が恐れるに足りないものになります。結局、自己の探求において到達される真我や、すべてを統括している神が究極の答えになってくるのです。ただ、生きているうちにそこに至ることのできる人は少ないのです。それは宇宙のバランスから見たら、仕方のないプログラムではあります。

しかし、わかった人は、めげずにそれを広めようとします。なぜならば、自分がわかったことで救済された経験があるからです。これこそが人を救済し得るもの、苦しみを滅却するために必要なものだとわかるから、それを人にも教えてあげたいと思うのです。しかしながら、これを伝えるのは至難の業です。そこで、お経を読ませたり、ヨーガをやらせたり、禅問答をしたり、ゾクチェンのような修行をさせたりといった方法論を提示するしかないわけですが、それとそれらの人の「わかっている状態」とは、実はほど遠いところにあります。

稀な存在は、ラマナ・マハーリシのような存在です。弟子に「どうしてあなたは瞑想やカルマヨーガなど、初心者にとってもわかりやすい教えを説かないのですか？」と問われても、最終的にそれらをすべて否定しなければならないから、最初からずばり真理だけで勝負したいということを弟子に言うのです。ですから、ラマナは常に、真我、真我、真我で応えます。質問に対しては「あなたはここにいないのですか？」という質問で返すのです。

ヨーギーのシヴァーナンダだったり、私の師匠のサッテャーナンダだったりは、そこに最初から行くのは不可能だから、近づいていくためのできる限りの努力、方法論を教えています。生きとし生ける者への慈悲が半端なくありますから、人々が少しでも早く神に近づけるのならば、惜しむことなくそれを伝えたいと思っているのですね。

わかった人というのは、自分が究極の解放を得た喜びを持っているから、すべての人がここに至れば皆が幸福になる、ここにしかないのだということを教えるわけですが、いかんせん、それは「わからないとわからないこと」なのです。

――どこにいても、「ここは自分がいるべき場所ではないのではないか？」という思いが湧いてきてしまいます。

人間は結論を出したいものですから、どこにいても「ここにいていいのか」とか「これをやっていていいのだろうか」と考えてしまうことがありますね。

例えば、会社勤めをしているとします。会社を信じられるのであれば、会社の一兵卒として模範的な会社員になり、幸せになれる道があるにもかかわらず、「ここにいていいのだろうか？」と自問自答し続けてしまう。そういう人が精神世界の探求に来たりするわけですが、今度はインドに行き、お寺に行ったりグルについたりしたとしても、また、「ここにいていいのだろうか」と思ってしまうということが起こります。そういう人は、すべてにおいて疑い深いわけです。

しかし、自分のいるべき場所、なすべきことについてそのように疑い続けるのは、ある種の「予感」があるからだと言えると思います。逆の目線から見ると、やるべきことがあるから現状に満足できないわけです。そういう欲求があの人を大成させた、などと後になって言われることがあるかもしれません。しかし、そうなるようになっているから、そういう予感がしているのであって、その予感が現状に対して批判的な見方をさせているのだと思います。

私自身がそういう人間でした。インドやチベットにいても、ここに留まろうか、他に良いお寺がないか、そのようなことばかり考えていました。今ここで自分がなすべきことをなしているかどうかわからないということが、常に自分につきまとっていました。

サキャ・ティチェンの元にいたときも、はじめはそこで学べることに有頂天だったのにもかかわらず、しばらくすると「ここにいていいのだろうか」という疑念が湧いてきました。ミンリン・ティチェンの元にいてもそうなるのです。最高峰の場所にいるのだから、修行するのには良いに決まっているはずなのですが、そうはいかないのです。そして、そのような思いが積もりに積もると、そこを出ていくことになるのです。

私は、自分が学んできた師匠については、すべての師匠を敬愛しています。ただ、そこにいるのが違うように思えて、転々としてきたわけです。

しかし、自分がついにわかったときに、やっと自分の居場所を見つけたのです。なぜ、ここが自分にとって正しい場所かどうかを常に疑う気持ちがあったかというと、それは、自分が正しい状態になかったからだった、というわけです。何を疑っていたかというと、自分の状態を疑っていたのです。自分の正しい状態、つまり「わかった意識」の状態になってからは、どこにいてもその場所に自分がいるということが完璧になりました。

すべてを疑う気持ちは、自分に対する疑念から生じてきていました。そして、このグルは違うのではないか、などと周りに反映させていただけだったわけです。グルが違っているのではなく、私自身が違っていたのですね。物事を体験している主体がおかしかったために、すべてがおかしく見えていたわけです。黄色いサングラスをかけていれば、誰の顔も黄色く見えるのと同じで、自分の目が変な色に染まっていたのです。そして、その色のついた鱗（うろこ）が目からペロッと落ちたときに正しい色が見えるようになりました。そうすると、この先生についていたのも正解だし、ここで働いていたことも正解だし、ここで暮らしていたことも正解だし、すべてが収まるべき場所に収まっていることがわかったのです。

たとえて言えば、絵のないジグソーパズルをするようなものです。絵があるパズルであれば、正しい場所にはまっているかどうかを確認しながら進めていくことができます。しかし、真っ白なジグソーパズルをやっていたら、ピースが正しくはまっているかどうかわかりません。正しいところにはまっていたとしても、自信が持てません。それと同じで、自分がいる場所が本当は正しいにもかかわらず、全体像が見えていないがために、正しい場所かどうかの確認ができないのです。しかし、わかってしまえば、自分の人生の全体像が見えるので、すべてのピースが正しい場所に収まっていることがわかるのです。

つまり、どうしたら良いかというと、わかるしかないのです。そうするとすべて完璧であり、すべてが正しいということが明確になります。

――先生の時間感覚は、通常の時間軸で捉えた感覚とは違ったものなのですか？

時間軸というのは、過去から未来に向けて一方的に流れていくものであり、その時間の中においては、種から芽が出て花が咲き、実がなって……という順序を違えることはできません。ですから、流れる形が決まっているということになりますが、私の場合は、時間の始点が未来にあります。ほとんどの人にとっては、時間は一直線に流れているものだと思いますが、私の場合はループしているのです。ただ、流れる方向性は未来に向かっているという点には変わりはありません。

もちろん、それを超える「時間の概念がない」というところも存在しますが、私のみころ式因果論には、時間の概念がないわけではなく、時間はあれど、ループしているという考え方なのです。

つまり、何回生まれ変わるかはわからないけれど、すべての人が解脱するポイントが必ず存在します。解脱したら生まれ変わってくる必要性はないわけですから、解脱こそがまさに到達するべきところだということになります。そして、解脱するポイントが未来のどこかにあるとしたら、そのために私たちは存在しているということになりますから、結局、そこが始まりだということになるのです。そこに到達するということが前提としてあって、色々なことを経験して、そこに辿り着いていく。つまり、私の時間の捉え方は、そこから始まってそこに戻ってくるという時間軸の捉え方になります。

――「答えが落ちてくる」というのはどういうことですか？

まず結論があり、そこに向かってどのようなプロセスがあるか？　というのが、私の毎日のあり方です。すべてが逆に見えています。これがみこころ式の因果論です。自分が存在する原因も結果も未来に存在しているということです。

日々、自分がわかるべき言葉が落ちてきます。私にとって、それはだいたいが「答え」です。そして、その「答え」に向かって道筋を立てていかなければいけないというのが、私たちのするべき努力になります。

ラマナ・マハーリシは「私は誰か」と問いなさいと言います。また、「アハン・ブラフマースミ」（私はブラフマンである）のように、答えが先にあるやり方があります。それは、そのプロセスを自分で解いていかなければいけないということなのです。「こうであるがゆえに……」という部分がないと、「私が神である」という結論だけを聞いたとしても、納得することはできません。

例えば、おいしい料理があるとします。「おいしいな、いったい何が入っているんだろう?」と考えることが「私は誰か」という問いに当たります。

そこに、その料理を作ったシェフが来て「これにはタイムとローズマリーが入っています」と教えられると、おそらく「へぇ……」の一言で終わるでしょう。タイムとローズマリーと言われても、どれがタイムで、どれがローズマリーかわからないからです。ですから、まずは、タイムとローズマリーを知っていることが前提として必要になります。

つまり、まず答えがあり、その答えを導き出すためには、前提としてその答えを導き出すために必要な知識や経験を持っていなければならないということになります。

食べたときに「この鼻に来る感じは、タイムが入っていますね?」「入っています」そうなると「よし、当たった!」ということになります。次に「ローズマリーも入っていますか?」「入っています」「よし!」となります。そして、次に料理を食べたときには「この風味はローズマリーだな、タイムだな」と、わかるようになります。

それらの知識を持っているうえで疑問を解いていくことができれば、結論に至ることができます。そこではじめて自分が納得します。それが人から教えられたことであるならば、納得することはありません。

なぜ悟りがものすごく時間がかかることだと昔から言われているかというと、知識と経験がある一定量たまってこない限り、答えを与えられたとしても、自分でその答えに至る筋道をつけることができないからです。悟りは半端なものではあり得ません。

最終的に、悟りというのは自分の完璧な理解に辿り着くことですから、それまでの人生経験や生きざまが、悟りにおいて完結しないとなりません。つまり、自分の今までの経験の集大成が悟りと言えるわけです。ですから、悟りが来るというのは、今までの自分の生きざまに対しての答えが出るということなのです。

そもそも人間はなんなのかと考えたときに、それは、人生だと言えます。いろいろな人がいろいろな経験をしているわけですが、自分が経験していないことは、自分に起こっていないことだからです。経験と知識がなければその人は存在していないも同然です。ですから、悟りは十人十色です。それを言い表すためだけに存在しているとも言えるのが、五百羅漢像です。それぞれ個性的に描かれているわけですが、なぜ悟りが個性的かというと、人生が違うからです。それぞれの人生が違うから、人生に対する答えが来たときにどのような筋道を立てられるかは、その人固有のものになります。

五百羅漢が辿り着く答えはひとつです。しかし、五百人が五百人とも違う人生を歩んでいるから、それぞれの悟りは別物になるのです。

Ⅱ

マーヤという認識を持つ

ただひとつのことを
悟ることが重要なことであり
それ以外は
すべてマーヤである

――マーヤとはなんですか？

マーヤは、本来はサンスクリットで「幻・実体のないもの・存在しないもの」を意味します。それとは別に、サンスクリットではアヴィッデャーという言葉があり、それは「無知」を意味します。

私がマーヤと言う場合は、本来の言葉の意味である幻という意味合いと、アヴィッデャーの意味する無知という意味合いを一緒くたにして使っている場合がありますので、造語のようなところがあります。厳密に言えばアヴィッデャーの意味に近いという場面でも、マーヤという言い方をしています。マーヤの方がわかりやすく、言いやすいですからね。日本語で「まやかし」という言葉がありますが、それに近いと思ってください。蓋を開けたらあると思っていたものがなかった、まやかされた、そのようなニュアンスで使っています。

例えば、現在の日本人にとっての常識というものがあります。私たちはある程度、その常識の範囲内で生きています。しかし、私はそれを「マーヤだ」と捉えます。それらは現時点では常識であっても、時代が変われば変わる可能性があります。

例えば、人を殺しては絶対にいけないけれど、兵士の制服を着て戦場で人を殺す場合には、職務を遂行したということになります。しかし、制服を着ていない人間が人を殺したら、殺人罪に問われます。本当のところ、何が正しくて、何が正しくないかは、測りがたいのです。

日常生活の中であれば、自分がしでかしたことで落ち込み、自分は人生の落伍者であると、自分に対してある決めつけをしてしまうことはよく起こります。その結果、人生が楽しくないものになってしまいます。私は罪人だから楽しんではいけない、この罪を悔い改めて生きなければいけない、といった認識になってしまうのです。しかし、第三者から見れば、気にする必要など全くないというようなことはよくあります。

例えば、子どもの頃に、親の考えに沿ったことをすると褒められたとすると、それがその人の中で正しいこと、嬉しいことになります。そうすると、その親の呪縛を大人になっても引きずっていたりします。そして、それから外れると、自分は正しく生きられないと思ってしまうのです。

私は、「そんなのはマーヤだ」という言い方をします。そんなことに囚われるな、生きたいように生きなさい、と。仕事でリストラにあったとしても、落ち込まなくて良いのです。探せば仕事はなんだってあります。「なんだっていい」と自分が思っていないだけなのです。そこには、自分の中に「こういう仕事をしてきたから、次もこれでないとダメだ」という決めつけがあるのです。もしも、この人にマーヤがなければ、どんな仕事でも「これでいい」となるわけですね。

このように、マーヤは微に入り細に入り私たちの心を蝕んでいます。「マーヤとは何か」に気づいていくことは、私が教えていることの中でもメイントピックになっています。

――マーヤ解きとはなんですか？

どのような幼少期を過ごし、どういった成長過程を経て、どのように生きてきたかによって、その人特有のマーヤが形成されています。

私たちは常に競争に勝ち、他人よりも優位に立ちなさいと、子どもの頃から教えられてきました。そして人と比較して点数をつけられ、偏差値で測られる。しかし、競争そのものがマーヤなのです。

現在は、子どもにランクづけをすることに意味がないということを大人がやっと認識し、点数づけをしなくなってきたようですね。通信簿を見ただけでは、どの程度できているか、さっぱりわかりません。子どもに点数づけという毒を持たせないのは面白い傾向だと思いますし、ある意味で、マーヤを打ち破ったということだと思います。

私たちは一人ひとり個性を持って生きています。人間が皆一緒だったら、面白くありません。なぜこの世界が面白いかというと、いろいろな才能の人がいて、いろいろな顔があり、いろいろな個性といろいろな考え方があって、それが一緒くたに存在しているからです。それによって揉めたり喧嘩したりすることはあったとしても、それがある意味で美しさです。

私は、この世界というのは、面白いと思います。美に満ちていると思います。いろいろなセンス、個性、さまざまなものが入り混じってひとつの世界を織りなしているのです。

しかし、その「違い」というものを、時には否定されることがあります。

例えば、「この紅葉はきれいだな」と思うとき、そこには絶妙な色のグラデーションがあります。紅葉が一色で統一されていたら、面白くありません。しかし、「なんでお前は赤になってないんだ、ここはオレンジの紅葉だぞ！　オレンジになれよ」と言われてしまうようなことが、現実社会でもあります。そこで、「オレンジにならないといけないのかな……」と思ってしまう。それが「マーヤ」です。そこで、「おれは赤なんだ！」と歯向かうことはできますが、それでは歯向かっているにすぎず、ストレスが残ります。しかし、オレンジにならなければいけない道理はありません。ですから、「これはマーヤだ」と思うことで、赤色である自分が肯定されるのです。「マーヤ」という言葉を使って認識するだけで、自分のカラーが根底から正当化されるわけです。

マーヤというものにさらに踏み込んでいくと、そこには人の「認識」が横たわっています。人間それぞれが持っている認識機能が「これは善か悪か」という判断をします。しかし、この善悪は私の経験に基づいているので、果たしてこれが善であるか悪であるかは、どこまで行っても本当は判断がつきません。これを「誤認」と言います。

ヴェーダーンタでよく使われるたとえがあります。夕暮れどきに山道を歩いていると、ロープが落ちているのが見えます。それを見て「蛇がいる！」と思い込んでしまうのが、誤認です。行ってみたらロープだということがわかります。しかし、それは暗がりではどう見ても蛇にしか見えないのです。私たち人間の認識は、そのように誤認をする作用を持っています。つまり、誤った認識に基づいて物事を判断してしまう場合が多々あるわけです。では、それを「マーヤ」として捉えるためには、常に「これはマーヤかもしれない」と疑う機能を脳の中に仕込んであげれば良いのです。そして、一つひとつ、マーヤであるかどうかを判断していくのです。

例えば、今日はなんだか落ち込んでいるな、というときに、「もしかするとマーヤに陥っているかもしれないぞ」と思えば良いのです。そして「もしマーヤにやられているのだとしたら、それはなんだろう？」と考える。これを私は「マーヤ解き」と言っていますが、探偵と一緒で、推理していくのです。いつまで自分は幸せだったか、いつからこの落ち込みが始まっているのか、それを遡って思い出す作業をすると、「あのテレビ番組を観ていたとき、昔の嫌なことをふと思い出した。そこで落ち込んだのかもしれない」と思い当たります。それが当たっていれば、マーヤが解け、目の前が明るくなります。「目から鱗が落ちた」という表現は、マーヤが解けたときのことでしょう。鱗が落ちなかったらもっともっと考え、原因を突き止めて、なぜそういう現象や事象で自分が落ち込むのかについて理解を深めていくと、自分のトラウマすらも解決されていきます。

「マーヤ解き」というのは、このような感じです。

――無知とはなんですか？

無知というのは、マーヤにやられている状態です。知がない状態です。

ただし、無知をなんとかしようとしても、なんともなりません。無知にさせているマーヤを取り除くことが必要なのです。そうすると光明が差してきて、無知の「無」が「明」に入れ替わります。そして「明知」という状態になる。なんでもわかってしまうのです。

明知の状態にある人は、わからなくて良いことはわからなくて良い、ということがわかっています。それがまたひとつの智慧なのですね。そして自分が知るべきことを知っている。人間はすべてのことを知る必要はありません。しかし、自分が何を知るべきかを、わかる必要があります。自分が何を知っていて、何は知らないで良いのか、それをわかっていることが大事なのです。

――マーヤ解きをするときの意識の持ち方のコツはありますか？

マーヤにやられている自分に、マーヤを見極めることは困難です。そのときは、まず自分の中で「仮の真我」を確立させる必要があります。

仮の真我、仮のアートマンというのは「私は、本来は真我であり神であって、マーヤにやられているだけだ」という心構えを持つことです。その際、私をこの無知の状態に置いているのはいったいなんであるか、なぜ私が神から人間に堕落しているのか、というところをまず考えていくのです。

そうすると、自分を取り巻く環境が間違いなくマーヤだと思い至ります。学校や社会や親は、私たちにマーヤなことばかり教えてきたわけです。必然的にすべてがマーヤだったということがわかります。そして、自分の中でそれらを「マーヤ」という言葉を使ってもう一度認識することが大切です。

今まで「何かおかしいよな」と漠然と思っていても、それを指し示す言葉がなかったわけです。例えば、「試験で良い点を取らないといけない」と思い込んでいたとする。しかし、別に良い点数を取らなければいけない理由などないのです。にもかかわらず、「点数なんか取らなくてもいいんだ！」と開き直れないのは、点数が取れないことで落第していく自分を、ポジティブに肯定する言葉が存在しなかったからです。落第点を取るというのは悪いことでしかありません。リストラもそうです。会社から切られることですから、メリットはないわけです。リストラされたらダメだということになってしまいます。

それらの捨て場所として、「マーヤ」という言葉を使います。自分の身に起こった嫌な出来事を、すべてマーヤというフォルダの中に入れていく作業をします。マーヤという言葉をあらたに自分の認識の中に導入することで、嫌な出来事の行き先ができます。そうすることで、自分がダメだという方向には陥らなくなります。

そのとき、自分の中に「マーヤさえなければ、自分という存在は誰と比較する必要もなく、完璧なんだ」という意識を持っていることが大切です。それが仮の真我ですね。そして、完璧でない要素を過去からすべて引っ張り出して、「これもマーヤ、あれもマーヤ」と、認識していくことによって、自分の中でお荷物になっていた過去の出来事がマーヤとして処理され、軽くなっていきます。

そうすると、自ずと本来の真我の状態が輝きはじめてきます。言うなれば、真我にこびりついている塵芥（ちりあくた）のようなものがマーヤなのです。それをひとつずつ取り除いていくことで、本来の輝きが明らかになってくるわけですね。

マーヤ解きの最初の段階は、すべて自分本位で良いわけです。すべてをマーヤとして認識すれば良い。そうすると、どんどんそういうものがはがれてきて、自分の本質が見えてきます。そうなってきた段階で、大雑把に敵だとみなしていたものに対しての許容範囲が広がってきます。そして、何が本当のマーヤであるのかが、より明らかになってきます。とにかく「仮の真我」に日々留まる努力をすることが大切です。

――過去に誰かから言われた言葉の中で、マーヤの原因として思い当たるものを探していけば良いのですか？

私たちは日々、たくさんの情報にさらされています。本、テレビ、ラジオ、インターネット、友達や親との対話であっても、外から入ってくる情報で、それが自分の持っているものと相容れないものであった場合は、必ずマーヤになります。ですから、「誰か」というよりも、その「何か」を探せば良いのです。

例えば、本を読んでいて、読み終わった後になんだか落ち込んでしまったとすると「あ、この本のせいだな」ということになります。そういうことは、とてもたくさんあります。私は最近、本すら読むことができません。誰の本を読んでもマーヤになってしまいます。それは、私自身がひとりの個体として成立してしまったからではあるのですが、聖者の本を読み漁ればわかる通り、皆それぞれ言っていることが微妙に違います。私の言っていることも、それらと微妙に違います。その微妙な違いが個性を際立たせるわけですが、その個性というものが、「お互いがマーヤである」ということになるのです。

マーヤがあると、神を認識しようという気持ちすら飛んでいってしまいます。そして、マーヤはさまざまなところから入ってきます。本やインターネットは危険です。精神世界のネットサーフィンは特に危険です。それを見終わった後に気分が落ちているときは、間違いなくマーヤにやられています。

——マーヤにやられずに済む方法はありますか？

人間の頭脳の驚異的な機能は、言語化することです。言語化することによって、人間は認識をしているのです。私たちは、何かを見たときに「これはハンガー、これはペットボトル……」といった、言語化による認識作用から逃れられません。

ですから、私は「これはペットボトルではなく神だと思いなさい」と言います。これも神によって起こっていることだから、ペットボトルではなく神だという認識をするわけです。つまり、すべては神であり、すべては神の意志による「みこころ」の現れだと、常に自分に言い聞かせるのです。そうしているうちに、良い人や悪い人といったジャッジをしなくなってきます。この人もあの人も神である、というように。

すべての本質は神ですから、そのように認識していくことで脳を変えていくのです。昔からある方法で「すべては神なり」と認識したり、「我は神なり」と認識したり、あるいは、すべてにおいて「私は誰か問いなさい」というラマナ・マハーリシのやり方であったり、それらは、当たり前に行われている言語認識を変換していくやり方です。右を見ても、左を見ても「神、神、神……」と思うように脳を改革していくのです。そして、この言語認識こそが私たちのマーヤ解きの鍵になってきます。

逆に、言語化することでその実態を明確にすることができます。

「私は今とても苦しんでいます」と言われて「どうしてですか？」と聞いたときに、理由を教えてもらえなければ、それを知りたくなります。そして、別の人から「あの人は、こういうことで苦しんでいる」と聞くと、納得が生まれます。つまり、理由がわからないということは、私たちにとって一番の問題なのです。逆に言えば、言葉によって言語化し、認識することで得心が行くのです。

例えば、私がかつて会社で働いていたときに「窓を拭け」とたびたび言われることがありました。しかし、私はそれに納得ができませんでした。一番下っ端だからやらなければいけないのだろうなとは思うけれども、それは世間的な理由であって、頭が納得しないのです。「今日はクライアントが大勢来るから、窓はピカピカにしておけ」と言われても「いいじゃないか、少しくらい窓が曇っていても」と思ってしまう。しかし、「この窓を磨くことを、自分の心を磨くことだと思ってやろう。瞑想だと思ってやろう」と思った瞬間に、私の頭は納得するのです。私の場合は、すべてのことを修行に変換できると、つらいことでも納得できるのです。そういう納得の仕方を私はしているということなのですね。

しかし、上下関係の中で育ってきた人は、窓を拭くのは下っ端の自分の役割だとはじめから納得して、喜んでやることができるでしょう。ですから、頭の納得の仕方は人によって違います。


あるいは、人のエネルギーの影響を受けて、マーヤになってしまうようなこともあります。そのようなときは、そのエネルギーが何かわからないから、受けてしまうのです。マーヤ解きというのは、わからないことを言語化していく作業です。なぜ、その人がそのようなエネルギーを発しているのか納得できた瞬間に、そのエネルギーはなくなります。マーヤに命名をすることで、実態が消えるのです。これがマーヤ解きの摩訶不思議なところです。無形のものを表現することで形にする、そうすると消えるというケースはすごく多くあります。

例えば、誰かに何かを言われた瞬間に「マーヤである」と認識します。しかし、職場でそのようにいちいち認識し、言語化しながら仕事するわけにもいきませんね。そして、だいたいマーヤにやられてしまいます。そのときどきにできない場合は、帰宅してからそれを思い出して解くのです。

夜に今日一日の出来事を回想することは大切です。自分の毎日を徹底的に観察して、正確な答えをそこに見出していくことです。これは無駄なことではなく、これをやっていくことでいろいろなことがわかるようになっていきます。

マーヤ解きは、自分のことをどれだけ知り尽くしていけるかということなのです。マーヤも多岐にわたっていて、自分がステップアップすると、マーヤもグレードアップしていきます。

大きいマーヤが解けるのには、何年かかかることも、何十年もかかることもあります。時間が経てば経つほど、その物事が見えやすくなるからです。

未来は全く見えません。今日や明日のことは予想ができない。未来に行けば行くほど形はなくなっていきます。無形を有形にしているのが「今」の瞬間です。ですから、先のマーヤはわからないし、終わったマーヤは日が経てば経つほど明確になります。

私は、放っておいたら解けるのには時間がかかってしまうマーヤを、できるだけ早い段階で解いていきましょうと言います。その瞬間にマーヤであることに気づけないと、もっと後になって出てくることがあります。あるいは「これごときではマーヤにならないだろう」と思うことこそ、油断をしているので危険です。

これを厄介にしているのは、自己正当化です。例えば、「彼の存在って、マーヤなのかな……」などと、普通は思いたくないでしょう。ですが、間違いなくマーヤです。自分に最も近いマーヤなのです。そこで、「私の彼は絶対にマーヤなんかじゃないわ」と思うのではなく、「絶対マーヤよ」と思いながら接するのです。「そうは思いたくない」ということが、物事をややこしくしてしまうからです。

「金はだめだ、金はだめだ」とラーマクリシュナのように言われ続けていたら、お金はものすごいマーヤになります。そして「これはマーヤだから要りません！」と言うのなら、物乞いかサードゥにならなければならなくなってしまいます。ですから、そこで、「マーヤですけれどありがたく頂戴します」と納得していただく。大事なのは頭の納得なのです。

私たちの脳が「マーヤ」という認識を持つことによって、この世界はすごくクリアーになります。この言葉は魔法使いの証のようなもの、魔を取り除くアイテムです。「これがマーヤだ」と認識することで、さっきまで問題だったものが、突然問題ではなくなるのですから。心配ごとに囚われて考えてしまうときに「これはマーヤだ」とハッと思うことで、心配ごとは終わります。原因を探り、それが理解されることで、そのマーヤは解かれます。

マーヤは巧妙に入ってきます。ですから、あなどってはいけません。マーヤという認識をするだけで、物事は変わってくるのです。

――マーヤという認識を持つことは、どのような人にとって重要なのですか？

私の役割は、こういった世界に興味のない人にも、いかに話を聞いてもらうかだと思っています。この世界に興味を持っていない人というのは、ただ興味がないだけでなく、嫌悪感を持っている場合が多くあります。好きか嫌いかのどちらかであり、どちらでもないという人は少ないと思います。そして、その嫌悪感を持っている人にも、できれば話を聞いてもらうことが、私のやりたいことなのです。偏った信仰に走らせたいわけではなく、「とにかくマーヤだよ」ということをみんなに認識してもらいたいのです。

例えば、サラリーマンでも工場で働いていても、その人が苦しむのはやはりマーヤなのです。でも、窓際のおじさんでも、子育てをおしつけられている奥さんでも、「こう思っているのはマーヤだな。何かわかるべきことがあるんだな」という考え方ができるようになれば、楽になります。神を信じて幸せになったというよりも、マーヤと理解したことで楽になったという方向に向けたいのですね。

マーヤというのは、実に現実的なのです。執着を持っていても、愛着を持っていても、嫌悪があっても、自分が何か格別な思いを持っていれば、それらはすべてマーヤになります。それは、修行者であろうと一般の人であろうと、皆共通です。好きなものには執着するし、嫌いなものは嫌がる。それに振り回されているのが人間です。ですから、いっこうに人間は幸せになれません。いつも好きなものに囲まれるわけではありませんから、間違いなく不幸です。しかし、「あなたはかわいそうな人ですね、ほんとうに不幸そうだ」と言われたときに「何を言っているんですか？　私は全く不幸ではないですよ。すべては幻ですからね」と言えるかもしれない。私たちが辿り着きたいのは、そういう心境なのです。

悪いことを退けるのではなく、悪いことを気にしない境地になることです。マーヤという認識を持つことによって、そのように理解できるようになってくるわけです。

一般の人よりも修行者の方がマーヤは大きいかもしれません。「あいつ、俺より後に入門してきたのに、先に進んでいるんじゃないだろうか？」というマーヤも生じます。とにかく修行者の頭の中はマーヤだらけ。悟りたいとか覚醒したいという思いに支配されているから、完全にマーヤにやられた状態になってしまっているのです。それを「マーヤだ」と知ることがとにかく大事なことです。

それは、「神を知る」ということとは別のこととしてやっていくことができます。でも、当然のことながらマーヤがどんどん取り除かれてなくなってくれれば、自分が求めている真我や神というのは、より明確になってくるはずです。

とにかく、悟りや解脱ということですら、今の自分にとってはマーヤです。それは今ここにないからです。しかし神は今在ります。私の真我、アートマンというのも今ここに在るのです。

今ここにない解脱のことを考えると当然マーヤになりますが、アートマンや神のことを考えることは、マーヤではないのです。それは今、在るものだからです。

――マーヤにならないものはあるのですか?

私たちは子どもの頃から、「神様は雲の上にいる」とか「天にましますす」などという認識で育ってきています。ということは、神はまだ目の前にいないのです。しかし、「今目の前にいる」というのが、私が教えていることなのです。「目の前にいる」という認識を、今度は脳に浸透させていかなければなりません。「神が目の前にいる」と思っていることで、「神というのは現実的に今ここに在るんだ」ということを、脳が理解しはじめます。その考え方に脳がだまされてくるのです。それは良いだまされ方ですから、だまされていて良いと私は思っています。

最終的には、「天にもいるし、ここにだっているし、自分の中にもいる。神は絶対であり、すべてに遍在しているのだから、自分がいると思った場所はどこにだって、当然いるんだ」とわかるように脳がつくられていきます。

それは、ある種のインスピレーションや、何かによってインスパイアされることで、より明確に体験としてわかるのですが、その感覚的な捉え方や、どのような訪れ方をするかは、人それぞれだと思います。そして、私は人それぞれで良いと思っています。

――認識することによってマーヤが特定できると解けるとおっしゃいましたが、原因が特定できないものはどうしたら良いのですか？

あとは、神の意図、「みこころ」を理解することですね。つまり、神が何をわからせたいのかを理解することです。わかるべきことがわからないと、すっきりすることはありません。それは、自分の歩み方を理解するために起こっていることかもしれないからです。

――マーヤになったことの意味がわかるまで、一つひとつ解き続けないといけないのでしょうか？

マーヤが解けて軽くなったならば、それはそれで良いのです。しかし、マーヤ解きもして、マーヤはなくなったはずなのに、なぜか終わらないというときがあります。そのときは、なぜ終わらないかを考える必要があるということです。しかし、最初の段階はマーヤ解きだけで十分です。

マーヤが取り除かれるとマーヤがない状態、つまりニルヴァーナ（涅槃）になります。ですから、その状態を作り出すためにマーヤ解きをしていくわけですが、厳密に言えば、ここで言うマーヤは、アヴィッデャーのことです。それはヴィッデャーという言葉の反対の意味です。ヴィッデャーは明知、そして、アヴィッデャーが無知です。私たちが必要なのは明知です。しかし、無知がなければ明知が出てくることはありません。ですから、マーヤ解きをしていくことで、自分の中で明知が生じる土壌が出来上がってくるのです。

さらに、私は「神様タイム」という言い方をしていますが、マーヤがあればマーヤ解きをし、瞑想に移行できれば瞑想する時間を作ることをすすめています。それによって、ある種の意識の変容状態が作り出されてくる効果が生まれます。その意識の変容状態が作り出されてくると、その状態の中から、明知というものが生じてくるのです。

そして、明知が生じてきたときに、本当の意味でのマーヤ解きができるようになります。明知を以て見ることによって、そのものの本質や、そのものにかかっているものが見えるようになってくるからです。つまり、自分のことを見たときに何がマーヤになっているか、世界を見たときに世界にとって何がマーヤになっているか、それらが明知を通して見ることで、明らかになってくるのです。

その状態を作り出すためには、瞑想やマーヤ解きをしていくことが、一番ダイレクトで手っ取り早い方法だと私は理解しています。マーヤというのは視点によって変わりますから、より超越した視点、明知と言われるような視点を持つことが必要になってくるのです。

――マーヤ解きがすべて終わるときの状況について教えてください。

基本的には、すべてのマーヤ解きが終わることはないと思います。とにかくすべてがマーヤだからです。しかし、マーヤ解きを何年も続けてやってくると、マーヤがおとなしくなってきます。

神に目をつけられた人というのは、「課程」を修了しなければなりません。ですから、詰め込み式のようにいろいろなマーヤが起こってきます。解いては次が来て、解いてはまた次が来るということを、繰り返しやっていかないとなりません。それをある程度やり終え、マーヤに対して耐性ができて、これはこのようなマーヤだとある程度わかるようになってくる頃には、ほとんどやられなくなってきます。特別なミッションが来るときは、一年に一度くらい大きいものがやってきますが、それらからは、意図的な感じを受けます。成長するためにそれらを、段階を追って経験させられるということが起こります。

――なかなか物事が順調に行きません。どうしたら良いでしょうか？

なぜ順調でないかというと、順調でないところからしか、私たちは学ばないからです。つらい思いをしないと、私たちはわからないのです。それは、神が最初からそのようにプログラムしたのです。ですから、つまずいてそこから学ぶことが大事です。順調でないということで落ち込むのは、マーヤです。落ち込むのではなく、受け入れることです。それには、なぜこれが起こっているかを自分が理解することが大切です。

なぜこれが起こっているのかを考えていくことが、マーヤ解きです。そして、私たちは神のみこころに、本格的にすべてを明け渡すことができるようになります。そうすれば、すべては順調になります。

物事はすべて完璧です。私たちが苦しむということは完璧なことであり、素晴らしいことです。苦しんだ人の方が、経験によって賢くなることが学びというものです。ですから、苦しければ苦しいほど良い。「調子はどう？」「……最悪です。」「それはいいね！」そんなふうに私は言います。それは、学びの最中、プロセスにあるからです。そして、その背後に神が動いていることを理解してほしいと思います。この出来事に対する神のみこころはなんだろう、この苦しみのマーヤはなんだろう、それを考えていけば良いのです。

――トラウマが多く、それにやられてしまうことがたびたび起こります。トラウマに対してはどのように対処したら良いですか?

トラウマがなぜトラウマであり続けるかというと、これもまた、みこころという「答え」の部分に辿り着いていないからです。しかし、トラウマが解けるには、もしかすると少し時間がかかるかもしれません。そういうときは、今のところはまだトラウマへの意図的な集中はしない方が良いのです。あくまで、今のところは。

トラウマがエネルギーを伴ってやってきてしまうのであれば、最初の段階でそれにやられてしまうのは、仕方のないことだと思います。そのときは、自らそのエネルギーに関わらないようにすることです。やられながら「これはマーヤだ」と、そのエネルギーに対して距離を置くように訓練することが大事なことです。これがどこで本質的な解決を見るかというと、やはり、みこころに到達したときです。

みこころという言葉を信じたくない人はいると思いますが、今までさんざんな思いをしてきた人は、その言葉にすがるしかありません。もし物事がただ偶発的に起きるのだとしたら、そこに意味を見出すことはできません。そして私に起こったさんざんな出来事は、一〇〇パーセント不幸な出来事になってしまいます。しかし、その出来事のみこころを理解することができるのならば、その出来事には必然性があり、トラウマが最終的に解決されるどころか、それに対して感謝することができるようになります。このトラウマのお陰で私はここまで歩んでくることができたのだと。

そういうことが起こらない人は、学ぶことができません。トラウマや逆境、苦しみが、神ないしは精神的な道にその人を仕向けます。得てして、そのときはつらいものであっても、それらは、その人にとっての教師になります。人によって解決への至り方はさまざまであり、何によってその人が癒やされるのかには、決まりはありません。

ただし、日常的にマーヤに対するセンサーを高めていくことは必要です。すべてはマーヤであるからというところに安定して留まっていられるようになると、マーヤに対する感度が高まります。この平穏がマーヤの上に成り立っている平穏だということを、忘れてはいけません。ハッピーでも、アンハッピーでも、どちらにしてもマーヤだということです。

マーヤに関する感覚力を高めておくことは、神に対する感覚力も同時に高められるということです。あとは恩寵次第です。マーヤが解けるのには、ある意味で恩寵というエネルギーが必要とされます。マーヤだとわかっていても、どうしても解けなかったのに、あるとき力に満たされてやっと解けるということがよくあります。それが恩寵の力です。

――マーヤを考えはじめると思考がぐるぐると回りはじめ、苦しくなってしまいます。どうしたらこの堂々巡りから抜けられますか？

私は、出口はひとつで充分だと考えます。私たちのこのサンサーラ（六道輪廻）の世界を脱出するための、ただひとつの出口が用意されています。私の認識からすると、その出口は「絶対」ただひとつだけです。問題なのはこの部屋から脱出することですから、絶対的な部分に答えが求められなければならないこととして、私は認識しています。

そして「絶対」の中においては、答えが必ず存在します。私たちが答えを見出せていないのは、絶対性をその中に見出せていないからだと思います。ですから、ここに行ったら「絶対」というものに繋がる、そこに行けば答えがある、そのようにわかっていれば、その方向に思考を向ければ良いのです。

「なんで私が……」と「私」のことを考えてしまうから、思考がグルグルと堂々巡りをしてしまうということが起こります。「私」では答えは出ないのです。自分を超越したところに常に答えは存在しているからです。

もうひとつ、なぜこの問題が自分に起こっているのかと考え、思考が堂々巡りをしているときは、今の段階ではわかり得ないこととして処理しても良いのです。つまり、「あのお方が私に送ってきたことだから、いつか答えは出るに違いない」として考えるのをいったんやめるのです。これを私は「最中」と呼んでいます。みこころ最中……ひどいネーミングですね。プログラムが進行している間は、結論は出ないのです。それが出るまでには時間がかかるかもしれません。しかし、ひとつはっきりしていることは、それはいつか必ず絶対に答えが出るということなのです。

私が確信していることは、「絶対」が存在することを信じることのできる人は、そこに意識を置いて生活していれば、疑問に対する答えを、いつか必ず自分が得るべきときに得ることができる、ということです。そして、それを信じることが大切です。

「信じる」ということは、私たちにとっての命綱です。「絶対」が存在することがわかっていれば、信じるも信じないもありません。しかし、わからないから信じるしかありませんね。

私が三十五歳のとき、それまでの自分の過去のすべてに整理がつくという経験をしました。ただ、そのときも進行形でさまざまな行為をしていたので、それに対する結果がさまざまに生じ、それに対しての対処をしなければならなくなりました。いっそ行為を捨ててしまおうかとも思いましたが、それはできない状況でもあって、いよいよ解釈では追いつかないレベルに達してしまいました。どうやってこれを解決したら良いのだろうかと考えたときに、私の中ではっきりわかったことは、「ただ、今わからないだけ」ということでした。なぜなら、これが自分に起こっている意味が今わかってしまったら、これが起きている意味がなくなってしまうからです。つまり、あのお方が私に何かを学ばせたくてこれを起こしているのに、その意味がわかってしまったら、あのお方が何を目的としたのかが、わからなくなってしまうということです。そうすると、今この現象が消えてしまうということになります。

結局、私たちがすべきことは学ぶことです。ですから、今「最中」として、わからないことは、わからないままに自分と共に走らせておけば良いのです。「どうせこれはみころなんだ、そのうちわかるさ」と。

――日々感謝の気持ちで過ごしたいのですが、平坦な毎日になってくると不満がたくさん出てきてしまいます。それは努力で解決すべきでしょうか?

これはマーヤ解きをすることです。なぜ、日常的なことを不満に思うかというと、それは自分のエゴが働いているからです。聖典などにも、エゴを取り除けば人生は楽になるから、エゴを取り除きなさいとありますが、私はエゴを取り除くよりもマーヤ解きをしなさい、と言います。

結局、理解がすべてです。その理解によって、不満だと思っていたことも、これはマーヤだと思うことで不満の力は半減します。「ある」と思っているからあるのであって、「ない」と思ったらどんどんない方に行きます。つまり、不満だと思っていると「不満がある」ということになってしまっています。しかし、そこで「不満はない」と思おうとしても、なかなかうまくいきません。そのようなときに「これはマーヤだ」と思えば良いのです。

不満があるということと、それに乱されている私が同調しているから苦しいのです。不満があってもマーヤだと思えば同調しないので、そのうちなくなるというわけです。

人間は意識体です。境界線がありません。ですから、いらいらした人と一緒にいるといらいらが移ってきてしまうことがあります。そのときも、マーヤ解きをします。「あの人のエネルギーだな」と思うことで、そのエネルギーから来るマーヤは解けていきます。

結局、マーヤ解きというのはある種の脳の整理です。寝ている間に脳は整理されると言われますが、それは、自分の無自覚なところで勝手に整理されてしまうということです。

例えばそれは、自分が留守の間に、お母さんが勝手に部屋を掃除してしまったようなものです。その結果、あるべきものがあるべき場所から動かされてしまいます。自分で掃除をするのであれば自覚を持ってできるけれど、勝手に掃除をされると、困ることはたくさんあるわけですね。それと同じで、寝ている間に勝手に脳が整理されると、わかるべきことやみこころ、そのような自分にとって必要なことが脳の中のどこかに追いやられ、不必要なものとして勝手に整理されてしまうということが起こります。

マーヤ解きをしていると、理解と認識を伴って進むことができます。それは、自分の脳の中のどこにしまい込むか、自分でわかってやっているということに当たります。ですから、必要なときに引っ張り出すことができます。しかし、寝ている間に脳が勝手に整理されると、必要なことが見つけ出せなくなります。それは必要な情報ですから、その情報を取り出すことができるように、神が同じことをもう一度繰り返し起こすということが生じます。

皆さんはよく、「仕事を辞めたいけど、辞めてもきっと同じことが繰り返されますよね」と言います。なぜ同じことが繰り返されるかというと、過去から学んでいないからです。ですから、マーヤ解きをすることがとにかく大切なのです。

Ⅲ

恩寵とみこころ

過去はみこころに
未来は信頼に

すべてを
大いなるものの御手に
委ねること

――信仰のない人に信仰についてどのように話したら良いでしょうか?

信仰がない人に私がおすすめするのは、自己の探求です。「自分は誰なのか」ということをわからないで生きているというのは、無駄の多いことだからです。人生の主体である自分が何者かわかっていないのは、あまりにもお粗末ではないかと思います。つらかった、苦しかった、あるいは嬉しかった、それを経験しているのは「誰」なのか?

私がチベットで体験したゾクチェンの修行体系では、心の本質がどこにあるかを探させることがメインの修行になっています。心を出して見せてくださいといっても、出すことはできません。どんな形で、どのくらいの大きさで、どんな色で、どのように作用しているのか……誰にもわかりませんね。しかし、「あなたの心はどこにありますか?」と聞くと、皆そろって胸を指します。心臓のあたりです。そこは人間の核であるには違いないけれど、心臓は機械的に血液を送り出しているポンプであって、そこに感情があるわけではありません。心が胸の部分にあるというのは感覚的にはピンと来るけれど、理屈としてはおかしい。

それでは、取り出すことのできないこの心とは、いったい何なのでしょうか。

これについてゾクチェンでは「ないことがあることだ」と言います。「ないけどある」が私たちの心の通常の捉え方ですね。それでは、それが「ない」という状態になったらどうなるかを試すのが仏教の修行になってきます。そして、完全に無の境地、心がないという状態に入っていく。ではそこには何もないのでしょうか？　そこには、何もないのではなくて、愛が在るのです。これは、冗談ではなく。

ラマナ・マハーリシは、心は想念の束で、ないものがあると錯覚させられるものである、と言っています。ですから、想念を一個ずつ取り除いていくと心は消えてなくなる、と。確かに、なくなれば空っぽになります。そして、また想念が出てくると、心もまた出現します。努力によって想念を堰き止めれば心は消え、そのままにしていると心は存在し続けるということになりますが、私は心の存在を否定しません。心があっても、神は在る。そして、私も存在している。心があると苦しむけれど、それは神がやっていることだからどうだってよいことではないか、と考えます。ですから、あえて瞑想などで強引にこれを堰き止めなさいとは言いません。そのかわり、自分の本質がなんなのか探求することを促します。

そして、自己の探求をやっていくと、いずれにしても行き詰まるときが来ます。続けていても答えが見つからないからです。

自分を超えたものに到達するときには、絶対に聖なる恩寵を必要とします。自分の努力ではなく、向こうからやってくる恩寵の力を受けなければ、自分が自分を超えることはできないのです。そうしてついに、私たちは恩寵について考えを巡らせなければならないところにやってくるのです。
それでは、聖なる恩寵は誰によって与えられるのかというときに、はじめて神に行き着きます。神の助けがなければ、神の祝福がなければ、神の意志がなければ、神のみこころがなければ、私たちは自分を超えることはできない、悟ることはできない、覚醒することはできない。そこに行き着くのです。そのときにはじめて、私たちは神にすがることができるようになる。信仰心のない人にも、はじめて信仰心が芽生え、祈ることができる。自分への取り組みが不毛な状態で終わり続けたときに、はじめて聖なるものをあがめる対象として持つ気になれるのです。

信心のない人に最初から「お祈りをしなさい」などと言うことは不可能だと思います。人はそれが「ある」ことを信じるから祈るのです。まず、信心ありき。信じているという気持ちがなければ、祈りは出てこないのです。ですから、信心のない現代の日本人にとっては、祈りというのはすごく難しいことです。しかし、誰にとっても一目瞭然なのは、「自分が存在している」ということですね。神がわからなくても、自分は明らかに存在している。そして、その自分が何者なのかわからないというのも明白です。これは明らかに探求の余地があるということです。存在するのに、わからないのですから。

自分について、皆苦しみます。身内で起きた出来事のせいで苦しんでいる場合であっても、苦しんでいる主体は自分です。ですから、自分の苦しみを明らかにしなければならない。しかし、自分が誰かわからないので苦しみの原因もわからないまま放置されます。つまり、出発点は、「自分自身が誰であるのか」ということを突き止める努力をすることだと思います。

日々が楽しい人は、楽しさにかまけて、「探求なんかしなくてもいいや」と思ってしまいます。ですから、そこに向かえるのは、苦しい人だけなのです。それは、私からしてみれば、神のみこころです。そこに向くことができるかどうかは、そこに神の意志あればこそだと私は理解しています。

――今日はじめて参加しました。今まで、私は神の話題などは避けて通ってきましたので、今日のお話をどのように自分の中に取り込んだら良いのか迷いがあります。

そうですね。この世界は、ある意味で危険がいっぱいです。私はとても疑い深かったために、日本でどこかに所属するのではなく、海外で師匠につかなければ本当のところには行き着けないと思い、向こうで修行しました。それは結果的には良かったと思います。

私は、信心深くありなさいと皆に言いますが、疑い深くもありなさいと言います。その二つを持っているのは大事なことだと思います。冷静にその人の教えを聞いて、鵜呑みにするのではなく、どうなのかを自分の中で探り続ける必要があると思います。

逆に、神がわからないのであれば信じるしかない、と思っています。いるのかいないのかは、辿り着いた者にしかわからないからです。ということは、辿り着くまでは、信じるほかに手がないということになります。

私も、わかる前は本当に神がいるのか半信半疑で、疑問をずっと抱えてきました。そして三十歳のときに投げ出したのです。「いるんだったら、今助けにきてくれ！」と神に懇願したのに、来なかったからです。そのときは、今まで築き上げてきた修行などを全部捨てるのかという決断のときでしたから、私にとっては一大決心のときだったわけです。

そして、わかった日の夜に泣きました。というのは、「いるんだったら出てこい！」と言ったそのときにも、神は目の前に立っていたということがわかったからです。目の前に立っていたというと語弊がありますが、そのときは、ただ自分に問題があったからこそ、そこにいる神を認識できなかっただけであったということがわかったのです。それを神のせいにして、自分から決別してやるという意識でいたのです。

わかったときに、まずその瞬間を思い出しました。神がいないときもいない場所もないのです。神というのは遍在であり永遠であるのです。あのとき、あの場所に、あなたはいた。その答えを得たとき、私は情けなくて泣いたわけです。

「自分がやっている」と考えていたことは全部マーヤであり、そのように思わせられているだけだとわかって衝撃を受けました。しかし、それはその意識にならないとわからないことなのです。ですから、神を信じるか信じないかはその人の勝手です。

ただし「神がいない」ということを言える人は世界中にひとりもいません。神がいないと宣言する資格を持っている人間はいないということです。神を知るためには、こういうことをしなさいという修行があります。これをクリアーすると、もしかするとあなたは生きている間に神を知る経験ができるかもしれませんよ、と。ということは、それをせずして神がいるかいないかを知ることはできないのです。ですから、「神がいなかった」という経験をしたわけではないのですから、「神はいないと私は思います」と言うべきです。「神を信じない」と言った場合、それはそれで良いのですね。

「神はいる！」と言う人は、「神はいる」という経験をしたということです。修行者やヨーギーなど、神の存在に辿り着いた人はたくさんいるわけですから、そういう人たちの「神がいる」という言葉も、それで良い。しかし「神はいない」ということを断言できる人は、世の中にひとりもいないということです。

ですから、私は「神を信じなさい、その方がより近づけるから。でも、僕のことは信じるな、だまされるな」と言うわけです。私自身がわかったことについての嘘偽りは一切ないけれど、それはあくまで私の至り方であり、私の経験であって、私のわかり方です。「私はこう思う」ということは言うけれど、それが皆同じだとは限りません。神がどうするかは、わからないのです。

私はその経験を通して、自分自身の忌まわしき過去から決別することができました。皆は自分の経験や考え方と照らし合わせて、あくまで己を尊重していくことが一番大事なことだと思います。

世の中に「私はわかっている」という人はたくさんいると思います。私はそれについてジャッジはしません。けれども、皆に理解してもらいたいのは、わかるということは、別に人に言うことではないのです。人知れずで良いのです。

わかるというのは、自分に問いかけたときの自分の答えです。「お前はほんとうにわかっているのか？」と聞くのは、自分が自分に対してなのです。人をごまかすことはできても、自分は絶対にごまかすことはできません。そのときに「何言ってるんだ、ばかやろう。今さらそんなこと聞くんじゃない！」と自分の中から答えが返ってきたら、それで良い。これが「自己完結」ということです。人に認めてもらうとかもらわないとか、そのようなことは全くどうでもよいのです。問題は、自分が自分を救えるかどうかなのです。

自分のことを救うことのできた人間は、自己完結しているから、「あいつは実はわかっていないんじゃないか？」と言われようが、関係がないということです。「俺がわかっているから、いいんだよ」と。自己完結、自己実現、ということですね。

自分が何者なのか、なぜここにいるのか、どうして生きているのか、それらを問いかけたときに、それに対してすべて答えが出る。そこに至る道について、これが最も短期決戦で良い方法だよということを、私はひとまず皆さんに教えているわけです。手応えは得ているけれど、それが全員に合っているかどうかはわからない。ですから基本的に「神は信じろ、私は信じるな」と言っているのです。

――自分の考えていることと合っている話であれば信じられるし、合っていなければ受け入れられない頑固さがあります。頑固さを改善するにはどうしたら良いですか？

それで良いのです、私は「疑え」と言っているのだから。疑って、自分の経験から自分で答えを出し、自分のものにしていくことが大事です。

自分のネガティブな部分に目を向ける必要性はないと思います。「これは俺の頑固さのせいなんだな」と気づく。それで終わり、で良いのです。今度、それをどうしたら良いのかと考えることは、さらなるマーヤを生んでしまうからです。どうにもできないことをどうにかしようとするということは、マーヤなのです。

ただ、「頑固さ」というのは、人間にとってひとつの難しいクリアーしなければならない性質だとは思います。その頑固さを直すために一番手っ取り早い方法は、「絶対帰依」

です。人にだったら従えないけれども、神にだったら従える、という部分がありますね。

私の経験からいくと、頑固さや強情さは神から「叱られる」という感じがあります。神の前で強情さとか頑固さを出すと怒られるということは、なるべく素直に従えるように己を滅していくことを頑張らなければならないということです。そして、そのように思うことが頑固さを取り除いてくれることだと思います。

それからもうひとつ、頑固さに囚われているマーヤというものがあります。自分が経験したことは自分にとっては絶対的なことです。ですから、自分がした絶対的な経験に対して、「そんなのは嘘だ」と言われると、喧嘩になります。人間は、多かれ少なかれそういうものなのですね。自分は自分の経験に従っていて、その経験は譲らない。それもまた、頑固さです。いろいろな経験をして、その人がその人自身の答えを得ていればいるほど頑固になります。

「神はこれだけ多様な経験を創っているのだから、それぞれの個性でそれぞれ勝手なことを言っていたとしても、それを与えているのは神だ。だからなんだっていい」と、他者を否定しなくなってくれば、頑固さがなくなってきているということです。

ただ、この頑固さはほとんどの人が持っています。それは、次の段階に行かないとなくせないものだと思います。ですから、次の段階では、それがわかるように仕向けられていると思います。

頑固さというものを嫌うのは誰かというと、神なのです。神であって人ではない。ですから最初に知らなければいけないのは神だということになります。瞑想をしたりマーヤ解きをしたりして、神に近づいていくと、神がそのつもりだったら、その頑固さを粉砕してくれます。

自分でこの強情さを粉砕することはできないのです。なぜならば、頑固さというのは徹底的な主観性に基づいているからです。しかし、神が要求しているのは客観性なわけです。その客観性を得るためには、主観性を終わらせなければいけない。主観性を終わらせるということは、自己完結、つまり悟りです。主観性がまず完成しないと、真の客観性というところにはいかないのです。

ですから、あれこれ難しく考える必要はなく、神のことをまず大好きになることです。人のことはどうでもよい、自分が神の方に向かっていくということ。そして、神に怒られて自分を正すことができるようになると思います。

――どうしたら絶対的な存在を知ることができるのでしょうか？

それは決して理屈ではないのです。理屈ではなく、やはり自分の魂が経験するところなのです。自分の意識が経験するということですから、時によっては瞑想状態の中で経験することもあれば、普通の覚醒状態の中で起こることもあります。このようでなければいけない、ということではないのです。

大事なのは、自分の頭の中で既に作り上げてしまっている「こうでなければいけない」というものがあるとするのならば、それらを一度解体してゼロに戻すということです。私たちが遠回りをしてしまうのは、自分が「こうだ」と思っているものがあると「こうではない」ものが出てきたときに、それは正しくないという判断を下してしまうからです。先入観さえなければ、あらゆるものを受け入れることができます。

私も、インドやチベットでさんざん修行してきました。瞑想も一日十時間くらい毎日のようにやっていたし、リトリートに入れば百日間、毎日十五時間以上の瞑想をしてきたけれど、進展はなし。才能がないのかなと思って、諦めては気を取り直すということを繰り返してきましたが、自分がわかったときに、完全に間違っていたということがわかったのです。それは、今自分にないものを獲得しようと奮闘していたからです。獲得するものではなく、既にここに在るものだということであり、今在る「これ」に対して自分が開かれていることが大事なのです。

真我は、神は、常にここに在るにもかかわらず、生まれたときから在るものだから、それに慣れすぎてしまったために、ないと思い込んでいるのです。逆に言えば、あると思っているものはあります。ないと思い込んでいるから、外に探すのです。インドのグルのところにいけばあるのではないか、ヒマラヤに隠遁している仙人やヨーギーのところに行けばあるのではないかと。

もっとも、そういうところにはどこよりも強烈に「在る」わけです。パチンコ屋にいるおじさんもヨーギーと同じだけのものを持っています。同じものが在るけれども、ヨーギーは神や真我を現実にしているのです。現実にしているからそれが現実になっているけれども、パチンコ屋にいるおじさんはそれが在ると知らないから、現実にしていないのですね。だから、ないも同然になっているのです。

つまり、それをリアライズした人だけがそれを現実にすることができるのです。なぜならば、それがその人にとっての現実だからです。神や真我をある人が現実にしていれば、その人の周りではそれが現実になっているわけです。それが絶対的なものになっているのです。しかし、多くの人はそれを現実にしていません。お金を現実にしていればそれが現実になります。そこでは、決して神や真我が現実にはならないということなのです。

ですから、私たちが知るべきなのは、答えが遥かかなたに在るのではなく、常にここに在るということです。そして、なぜそれに気づくことができないのかというと、それは、マーヤがあるからだ、ということになるわけです。

神というのは自分の近くに在るのです。自分の中に在るものです。こんな瞑想法、あんな修行法、ベジタリアン……そのようなことをしていると、どんどん遠ざかっていくのです。だからやるなとは言いません。その意識を持ったまま瞑想をするならば正しい判断になる。ただ、最初の認識が間違っていればどんどん離れていってしまうということなのです。

どんなに迷っていても、どんなに幸せでも、どんなに悩んでいるときも、「自分」は在り続けている。そこが「私の答え」を見つけられる場所です。インドの玉座に座ったグルのところに行っても、その人に会っているのは自分であり、常に答えはそこに在るのです。そういうインド的なものやチベット的なものを否定するわけではありません。そういうところでインスパイアされることはあります。しかし、それがマーヤにならないことが肝心です。

欲を捨てるとか、エゴを捨てるとか、自分を押し殺すことが必要なのではありません。本当に自分の欲を超越できる人なんてまずいないのです。ですから、ひとかどの者になろうなどとは思わないことです。特別な者になることが必要なわけではありません。

「自分はダメなんだ」と思ったことがあなたの人生で何度あったでしょうか。それらはすべて自分の記憶庫に保管されて、今の自分を判断しています。それでどうして真我に、神に到達できるのでしょうか。まずは、自分に対する評価を捨てることです。私は「ダメ人間でいい」と開き直れと言うのです。そうなれないのは、まだ自分のなんらかの可能性にしがみついているからです。そんな可能性など知れているのですから、「ダメならダメで自分はそれでいいんだ」と諦めることです。

宗教ではそれをして、エゴを手放せとか、欲を捨てろ、という言い方をしてきたわけですが、それはまた、本来残していて良いものまでも捨てなければいけなくなってしまいます。自分を押し殺しても反動が来ます。そうではなくて、ポイントを掴むことが大事なのです。自然であること、あるがままで在ることです。神が与えてくれた私を一〇〇パーセント受け入れることが悟りです。

――カルマは私たちの人生にどのように作用しているのでしょうか？

カルマというのは、あるにはあります。しかし、神のみこころが行われている次元と、カルマによって私たちが支配されている次元というのがあり、私は、基本的にはカルマには焦点を当てません。カルマを見ることによって、カルマの次元に落ちてしまうからです。

例えば、何かアクシデントが起こってしまったとします。「あぁ、これは自分の悪業の報いによって起こってしまったに違いない」と考えることもできるし、「あぁ、これは神のみこころによって起こったのだ」と考えることもできます。

この現象世界では、潜在しているカルマは、それぞれの瞬間ごとに明らかになっていきますが、それはあくまで神のみこころに沿った形で、ということになります。

すべての物事は、必然性に基づいて起きています。自分のなしたことがカルマとして蓄積されることは当然あるけれど、そのすべてが来世に出るわけではありませんし、今世は前世の悪業の結果なのかというと、そうでもない。他の人たちとの絶妙なバランスの上で、どのように神がカルマの解消を要求し、解消させられ、必要のないものは潜在したままであるのかは、よりレベルの高いところでコントロールされていると私は考えています。ですから、カルマの解消などに躍起になる必要はありません。

――自由意志はあるのでしょうか？

宿命は変えられないけれど、運命は変えられると言われることがあります。その考え方でいけば、その人にとっての定めとなるものはなされなければならない。そして、それ以外は自由意志だということになります。

まず、前提として言っておかなければならないのは、自由意志があるかないかは、自分の経験によって知られるところのものであり、それを信じなければならないことはない、ということです。つまり、自由意志があると思うのなら、そう思っていても構わない。ただ、私は自分の経験の中で、自由意志が存在しないということが理解されてしまったということなのです。

人間というのは多くの場合、決められた方向に流されていくということを非常に嫌がるので、かえって反逆的な選択をしたがります。しかし、私の経験からすると、自由意志があるとすると、「計画」が崩れ出してくるのです。

私の場合は、あまりにもすべきことが明確なだけに、神の意志である「みこころ」ですべてが動いているのは自分だけなのかもしれない、と思ったことがあります。すべきことがない人には自由意志があるのかもしれない、と。しかし、そうすると、私と出会わなければならない人と出会えないということが発生しかねないのです。それは、私における神の計画が崩れることになります。

ひとまず、私の人生はすべて「計画通り」という経験をしてしまったので、あらゆることはみこころであり、計画通りに動いていると私は解釈をしています。つまり、神のみこころが行われている。神の意志があるのであって、自分の意志はないと結論づけられると思います。

――私たちの人生は最初から神によってプログラムされていて、そのプログラムの通りに生きているということなのですか？

その部分は、自分の意識の段階によって、理解の仕方が変わります。

例えば、「神によってすべてプログラムされている」と言っても、多くの人は自分がそのような経験をしていないから、信じることができません。ほとんどの人たちは、日々瞬間ごとに自分で選択をして生きているのだから、当然のことながら未来は予測不可能であると思うでしょう。そして自分が常に瞬間ごとに選択し、努力することが課せられている、と。それが普通、私たちが生きていく過程で経験することです。しかし、ある意識の段階に到達したときに、それらがすべて神の計画・意志によって行われているということを経験する段階があります。ところが、別の意識のレベルで経験すると、それはまた違う形に変わってくるのです。

――「みこころ」はどのように捉えたら良いのでしょうか？　また、どのようなときに体験できるのですか？

私にとって「みこころ」とは、自らの経験によって理解されたものです。その経験が起こったとき、自らの人生が走馬灯のように逆回転し、自分の人生に起こったすべての出来事を追体験させられました。一つひとつの出来事が次の出来事に繋がり、その出来事はまた次の出来事へと繋がり……すべての出来事は繋がっており、それを絶対者が完璧に仕組んでいるということを目の当たりにしました。また、そのすべての経験が、今この瞬間に繋がり、この瞬間のためにあったのだとはっきりと悟りました。

この経験は私の意識を根底からすっかりと変えてしまいました。神という主宰者とその行為。神のみが唯一の行為者であることをはっきりと理解し、私たちは単なる駒であると明確に悟りました。しかし、これらすべては神の無限なる愛に基づいており、神の駒であることを残念には全く思いません。それよりも、それ以上にそこに在る神の愛が圧倒的なのです。

私はこのようにして、この全宇宙をもさらに超えたところにある絶対者の絶対性と完璧さを体験しました。宇宙とは完璧なるひとつの存在なのです。

私はこうしてみこころを体験し理解しました。ある意味、これは究極的な体験です。私はこの、有無を言わさぬ経験を通して「みこころ」と言っているわけですが、私もかつてそうであったように、皆さんもそれをまだわかっているわけではありません。

「神のみこころが行われている」という話を聞いたときに、救われる人と救われない人がいます。自分の人生が思い通りに行った試しがなく、思わぬ方向に行って、その結果大失態をするような経験ばかりしている人からすれば、もし、すべてが自分の選択による結果であるならば、自分という人間は救いようがないということになります。しかし、そこで「神がやっていることだから、すべて計画通り。だから、それでいいんだよ、間違っていないよ」と言われたときに、絶対的に救われる人がいます。

まだエゴの作用が強くて、たとえ相手が神であろうと、自分についてすべてが決められているということが不服に思える人はいると思います。そういう人たちにとっては、「すべてみこころだよ」と言われるのは、実に面白くないことだろうと思います。ですから、これは神が存在するか否かという議論にも増して、賛否両論だと思います。


私のように、人生において物事が思わぬ方向にばかり展開し、その都度大変な目に遭って、「自分の人生は一体何なのだろう……」と思っていた人間からすれば、すべて神がやっているとわかったときに、「あぁ、やっと救われた」と思えるのです。

つまり、人生の経験がより困難で、より濃厚で、より激しい人にとっては、それがすべて「神のみこころだ」と知ったときに救われる経験をするであろうし、人生に災いや障害、波乱が少ない人は、これに賛同することはないでしょう。

これは、経験によるものですから、説明のしようがないとは思います。ですから、私は「みこころ論」については好きに考えれば良いと言っています。でも、本当は「みこころ」なんだよ。

人は、人生は、人との出会いで変わっていきます。自分だけでは絶対に変わることはありません。そして、その人とその人が出会うためには、その人がその人と出会うように必ずセッティングされているのですね。出会うべき人が、出会うべきときに、出会うように、プログラムされているのです。

私には、大きな一本のラインがあって、そこからすべてが始まりました。それは私が十五歳のときに出会った家族です。その家族の縁で今が存在しています。その人たちと出会っていなかったら、インドにも行っていないし、タニ・クリニックの院長にも会っていないことになります。その人たちと出会わないことなど考えられません。つまり、人は縁によって動かされているものだということです。その縁というのは人と人との出会いですから、その縁によって動かされるようにプログラムされているものだと私は思っています。

日常生活の中では、自分の意識が反映されるようなことがたくさん起きて、「自分がやっているな、自由意志はあるんだ」と思うことが多々あると思います。「神の意志」というものを信じている人であっても、そのように思うでしょう。そこで必要になってくるのが、「信頼」だと思います。神を信頼すること。

私からすると、今ここに皆さんが集まっているこの瞬間というのは、完璧です。皆さんからすれば、来るか来ないかの選択の余地があると思うかもしれません。しかし、実は選択の余地はないのです。今日この人数がここにいるというのは、ひとつの完璧なことなのです。一人ひとりが今ここに座っているのは、一人ひとりの歴史が存在するからであり、過去の成り立ちの上に今この瞬間があるからです。
今この瞬間が完璧であるということは、過去も未来も同時に完璧である、ということを意味します。もし過去が完璧でなかったら、今この瞬間も完璧でなく、当然未来も完璧ではありません。私からすれば、今この瞬間は完璧であり、過去も未来も完璧です。完璧な映像の中に組み込まれている「今」の瞬間がある限り。

「完璧」という言葉が存在するのは、「完璧という状態」が存在するからなのですね。そして、その言葉が使われるのであれば、自分の知らない世界にもその波が及んでいなければおかしい。そうでなければ、この言葉が存在する意味がなくなってしまいます。完璧という言葉は、完全と不完全を超越したところにあります。「不完璧」という言葉はないでしょう? 神が存在しているということが完璧なことだから、神が存在している以上、このすべての瞬間が完璧だということなのです。

――出来事に対するみこころの意味がわからないことが耐えられません。みこころだと思い続けることでそれがわかるのでしょうか?

理由を知るということが、理解に繋がります。例えば、なぜお腹が痛いのかわからないと無駄な不安がついてきますが、夕ご飯が原因だと理由がはっきりしていれば、それ以上の苦しみは生まれません。問題は理由がわかるかどうかです。

ですから、理由を探すことは大事なことですが、「みこころで起こっているな」という出来事に遭遇したときには「何をわからなければならないのか」という言葉に集中するのです。これは、必殺技です。「私は何をわからなければならないのか」に集中すること。

人間の脳は、わからなければならないことがないときは怠けます。それがわかることで自分の脳がすっきりするお題を脳に振ってあげることは、とても大事なことです。ですから、「何かわかっていないことがある。だから今、まだ混乱しているんだ。だから、今自分がわかっていないことをわかればいいんだ。……俺はいったい何をわからなければならないのか?」というところに集中します。そして、その問いが私たちを答えに導くということです。ですから、問いを立てることが大切なのです。

あまりに漠然としていて、答えが出そうにないと思うかもしれませんが、それをしつこく考えていると、不思議と答えが見えてくるようになります。すごく抽象的な感じがするでしょうし、もっとわかりやすい答えや質問の仕方があっても良さそうなものですが……ないのです。

――「みこころが行われている」ということと「すべてはプログラムされている」ということは同じことなのでしょうか？

私が「みこころ」と言うときは、神の意志をにおわせたいときに使います。たしかに、「みこころ」は「御心」と書きますね。誰の心かというと、神の心です。ですから、そこに神の意図があるという含みのあるときに「みこころ」という表現をします。

「プログラム」という表現をするときは、どちらかというと機械的に説明したいときです。

これは、二つの側面から見た表現の仕方です。

人間には、理知的な機能、感覚的な機能、感情的な機能の三つの機能が存在していると考えられます。そして、物事を理知的に解釈したいという側面と、感覚的に理解したいという側面の二つが出てくると思います。

宗教というのは感覚を満足させるものです。祈りや修行、神への帰依を通して、その体験を直にするというのが宗教です。そして、どの宗教にも宗教哲学がセットでついてきます。宗教哲学の解釈は、感情と感覚を含めずに、物事を論理的に解釈するために存在しています。ですから、宗教哲学で使われる言葉はどちらかというとエネルギーを含まない言葉です。一方、宗教で使われる言葉はエネルギーの乗りやすい言葉であることが多いわけです。

例えば、哲学では「真我」とか「個我」という言い方をします。指し示しているものは明確であったとしても、それらはエネルギーの乗ってこない言葉です。一方で、真我とか個我を宗教の世界では「魂」と言ったりします。これは、エネルギーの乗りやすい言葉ですね。あるいは、宗教では「神」と表現するものを、哲学では「絶対者」や「超越者」といった言葉に置き換えて使います。

宗教の世界は感覚的な体験の世界であり、誰もがその体験から来る経験を得ようとしています。一方で哲学の人たちは、それらをいかに矛盾なく論理的にまとめられるかにフォーカスしています。ですから、このようにひとつの神を経験する分野において、感覚的な解釈と理知的な解釈との二通りの解釈の仕方があって、それぞれをどのように表現を通して説明するかの模索が昔からなされてきているわけです。

決まりがあるわけではないけれど、「みこころ」という言葉を使うと、神の存在がそこに見え隠れしています。生命の根源としてのエネルギーを持った神という「生き物感」を強く出したいときは「みこころ」と言うのですね。ですから、私が皆さんに感覚的・感情的に訴えたいときには「みこころに委ねなさい」と言うわけです。「プログラムに委ねなさい」とは言いません。「みこころが行われているのです、だから安心しなさい」と言うのです。

一方、私の頭の中で、時計のようにすべての歯車が繋がり合って宇宙全体が動いているというような、エネルギーを伴わないイメージが浮かんだときは、「すべてのプログラムが重なり合って宇宙は動いているんです」という説明をします。

よく考えると、それらを使い分けているときに、私が皆さんに対して訴えているところも違うようです。「みこころ」と使うときは、あなたのその身に理解させたいとき、肉体を持っているあなたが、みこころを理解してくださいという、「あなた」への訴えに対して使っています。

逆に、「プログラム」という言葉を使って表現しているときは、あなたの四次元感覚に訴えようとしているときです。肉体を持ったあなたではなく、あなたの意識野に存在する四次元的な感覚の中に必然性を伝えたいときにプログラムという言葉を使おうとしているのです。超越的な次元における神というのはこの次元における神の感じ方と違うからです。簡単に言えば、みこころはハート、プログラムは頭に訴えるものなのですね。

言葉が持つエネルギーというのは言葉によって違うので、同じものを指していても働きかける場所が変わってくるのです。

――「人との出会い」についてもう少し教えてください。

人との出会いは偶然ではありません。出会う人と出会うようになっています。

皆は行かなければいけないから学校や会社に通いますが、私の場合は、そのような生き方をしてきませんでした。多くの時間は、こっちから風が吹けばこっちに流され、あっちから風が吹けばあっちに流されるという生き方をしてきました。

面白いのは、インドを旅していたときのことです。カルカッタにいて、そろそろ潮時だから別の場所に行こうと思い、ダージリンに行くためにバスターミナルに行きました。気づくと、南のプーリー行きのバスに乗っていました。急ぐ旅ではないのでそのままプーリーに行くと、カトマンドゥで出会った人と会うのです。そして、今度こそダージリンに行こうとバスターミナルに行くと、今度はマドラス行きのバスに乗ってしまうのです。マドラスの宿に行くと、また知っている人が何人もいる。そのようなことが日常的にありました。

会う人とは定められているように会い、会わない人とは本当に会わないのです。僕の人生の大半の時期はそんな感じでした。

サキャ・ティチェンに弟子にしていただいていたときのことです。ビザが切れるからネパールに行かなければならないと伝えると、それでは、ネパールにいるチョゲティチェン・リンポチェに会えるようにと紹介状を書いていただきました。そして、リンポチェに会いに行くと、今リトリート中だから会えませんと言われました。二週間して行ったら、今度はアメリカに行ってしまい、今度は二か月くらい会えないと言われるのです。二か月して会いに行ったら、またリトリート中だと言われ、その後はヨーロッパに行ってしまいました。結局、会えなかったのです。

サキャ・ティチェンは、チベットではダライ・ラマに続く活仏です。ですから、どこにどういうラマがいるかをよくご存じなので、「いいラマを紹介していただけませんか？」と伺ったことがあります。「あとどのくらいいるのか？」と聞かれ「六か月です」と答えると「それでは俺が教えてやる。明日から来なさい」と言われました。

ミンリン・ティチェンのときもそうです。下位のラマから教えてもらおうと思っていたら、ミンリン・ティチェンが突然「何しに来た？」と聞くのです。「ゾクチェンを教えていただきたくて来ました」と答えると「そうか、そうしたらお前の心がどこにあるか一週間考えてこい」と言われました。一週間してから「心はどこにもありませんでした」と伝えると、髭はないのに髭をなでる仕草をしながら「よし、これはテキストの〇〇ページに書かれている教えだ。テキストを渡すから、今日からミンドリンのゾクチェンを教えてやる」と言われたのです。

そのような経験を経て、私も今ではすっかり宿命論者になりました。それだけのことがあると、「起こることが起こる」ということに逆らえません。私の師匠はそれを「人生は自動スケジュールだ」と言われていました。

――みこころは運命と同じようなものですか？　また、「みこころに委ねる」とはどのようにしたら良いのですか？

みこころという言葉で解釈されるものと同じような意味で使われる言葉に、運命という言葉があります。「こうなったから、こうなって……これは運命以外の何ものでもないな」と経験的に知る人はいると思います。

みこころを理解する場合は、それをやっているお方がメインに立つということです。「運命」という捉え方をすると、自分が主体になっているわけですが、あのお方、つまり、神がやっているということになると、解釈のニュアンスが変わってきます。そうすると、それはなんのために起こっているのか、という問いかけが生まれます。そうなる運命だから逆らえないというのと、自分のエゴもすべて手放して、それをやっているものに委ねようという意識になるのとでは、大きな違いがあると思います。

苦しみの本質はエゴの存在です。しかし、エゴの存在は喜びの源でもあります。その喜びの代償のような形で苦しみも存在するわけですから、エゴを捨てようと思うか思わないかは、あなた次第ということになります。しかし、私は、すべてを神に委ねてしまえば良いという道があると思っています。自分のエゴで楽しんでも苦しんでも、それが「あなたがお望みなら」と委ねること。それが人間らしさを捨てることなく、最も望まれた道を歩む方法ではないかと私は解釈しているということです。依然として苦しみは残るわけですが、それが嫌な人は仏教の修行をしてください、ということになります。私は人間らしさを大事に思っているところがあります。

私は、今までの自分の人生の中で、面白い経験をたくさんしてきました。それらの経験は、渦中にいるときはすごく大変でしたが、今となっては面白いことだらけです。エゴをスパッと捨て、それを経験しない世界に生きる方が良いのだろうかと思うと、やはり人間はこのままで良い。その喜びや苦しみがあることが、ある意味で美しいと思います。

ただ、楽しみは残したいけれど、苦しみだけは取り除きたいと思ったとき、これは神が望んだことだと理解して、このようになることが結局は良いことだという解釈ができれば、苦しみを軽減させることが可能です。あくまで軽減法ですが、そのようにしていくうちに、自分にとって、これは本当に苦しみでしかないから必要ない、と思うことが明確に浮上してきます。この苦しみがあるのなら、楽もいらないということになれば、次のステップに行けるわけです。そして、それに対する取り組みはいくらでもあります。

楽しいことだけが起こっていると、人間は何も考えなくなりますから、自分にとってのみこころをその中に見出すことができません。つらい苦しい経験を与えられて、考えて考えて考えていったときに「神はこういうことをわからせたかったんだ!」というところに到達したら万々歳です。

私の頭の中にあるいろいろな質問に対する答えというのは、私の苦しみの経験から得てきた答えです。皆が経験している苦しみになる経験を、かつて、程度の差こそあれ私自身が経験してきていて、それと神から与えられた恩寵という答えをリンクさせて考えたときに、一つひとつの答えが見えてくるわけです。

私自身はさまざまなことを経験させられて、最終的に「みこころ」という答えが存在したときに、すべてに合点がいき、腑に落ちるという体験をしました。そして、私の場合はそこに神が存在したということです。ただ、運命や過去のカルマの結果、今世でこのようなことが起こっているという結論ではなく、それをやっているお方がいるという結論があったときに、「あぁ、良かった」と思いました。「この結論に至らせるために、あのお方はずいぶんと手の込んだ芝居を打ったんだな」と思ったわけです。

そして、同時に「この先もまた安心だ」と思いました。この先も相変わらず動乱の日々ではあると思うけれど、あのお方がやっていることだから、この先も到達すべき答えがあるということが、はっきりわかっているからです。

答えが出ても受け入れれば良いということだし、そのときに苦しみを経験したことの意味がそこにはあるということがわかっています。ですからどうするかというと、「みこころのままに」と言うことしかないのです。それが委ねるということです。

そして、それにはもうひとつの大きなメリットがあります。そこでは、エゴを取り除く努力をしなくて良いということです。日々やりたいようにやりながら、かつ委ねておくことによって、自分のエゴを消滅させようとする難業に挑まなくても良いのです。その委ねている意識の状態になることは難しいかもしれないけれど、私自身の経験からすると、はじめて神に祈った瞬間から、そのスイッチは入っているのです。

例えば、小学生のときに「神様、助けてください！」と祈ったとします。そのときにパチッとスイッチが入ります。しかし、そこから明かりが点くまでには時間がかかります。何十年かかかって、明かりがパッと点きます。そういうタイムラグが神にはあると思います。しかし、神は常に私たちと共にあって、私たちのことを見ていて、私たちの祈りを聞き逃すことも見逃すはずもなく、祈った人のことは覚えているわけです。ですから、祈れば祈るほど近づいていきます。もっともっと祈ってください。そして、どんどん神に近づいていこうとすることが、結論だと思います。

Ⅳ

神と悟り

あなたの軌跡は
あなたのものであり
誰のものでもない

あなたが完結していれば
すべては完結する

――神道の神々、人格神、唯一神、空や無など、神を表す言葉や対象が多様なので混乱しています。先生のおっしゃる「神」は何を指しているのですか？

私というのは私ゆえに存在しています。ですから、私にとっての絶対者は「私」です。自分が存在するために存在している六十兆個の細胞は、すべてこの「私」に集っているものです。ですから、これらの細胞にとっての絶対者というのは「私」です。私がなくなってしまったら、彼らは存在できなくなってしまうからです。それは厳密に言うと、私が神の分身であるからなのですが、今は最も粗雑な次元から話を進めていきます。

私たちが集っているこの日本という国の存在が、私たちを生かしている土台になっています。ですから、ある意味で言えば、日本人にとっての土台、絶対者というのは「日本」という土地ということになります。そこで出てくるのが、神道の大国主命であったり、神道の神々であったりします。私たちは自然の恵みで生きているからです。そういった、自然の恵み一つひとつが神道の神々様の名前になっています。そこにいる神の恩寵がないと、私たちはその場所に立つこともできないし、そこの食べ物を得ることもできないのです。ですから、日本人にとっての絶対者というのはこの「国土」です。

それよりもさらなる絶対者は、地球全体、この一個の「地球」という意識体ということになります。そして、地球のような星々の絶対者が「宇宙」であり、その宇宙を超えたところにあるのが「創造主」という神になります。ですから、そのような回り道をすることなく、はじめから創造主に意識を向けていった方が、混乱が少なくて良いと思います。そして、この超越的存在を、私は「神」と表現しています。

日本の神道や土着の信仰などでは、生きていくうえでは自然の恵みを受けることがとても大切だと考えます。ですから、日本の神道やネイティブアメリカン、アボリジニなどの土着の信仰は、豊穣を与えてくれる土地に対し、お返しのために祭祀をして土地の神々様を喜ばせます。そのようにして、土地の神々との繋がりを大事にしてきました。

ところが、一神教というのはたいてい教祖がいます。ユダヤ教・キリスト教・イスラム教は三大啓示宗教と言われていますが、神による恩寵を受け、啓示を受けたことによって、唯一神の存在に気づくことのできる意識に辿り着いた人たちが、一神教を広めた人たちなのです。

ヒンドゥー教の場合は、唯一神を説いた聖者たちが大勢いました。インドにはもともとはアーリア人が持ってきたヴェーダの思想がありました。それは唯一神ではなく、川の神や山の神など、神々様に対して供養をすることで神々の世界に生まれ変われるというのが、ヴェーダを権威とするバラモン教の考え方だったわけです。これは、神を祭祀することによって恩恵を受けることができるという神道の考え方と、基本的には同じです。

ところが、インドにはあるとき賢者や聖者がたくさん出てきて、唯一絶対なる神が解脱に至るに不可欠だと教えたわけです。これが『ウパニシャッド』という聖典になってくるわけです。ヴェーダの奥義書の部分ということです。インドに出てきたさまざまな聖者たちが、ブラフマンとかアートマンといった絶対真理に対しての探究をしていくさまを聖典化したものです。彼らが唯一神だと言いはじめたことによって、その伝統もまた続いてきているわけです。

私なりにこれをどのように解釈しているかを説明します。

人の本質になっているものはアートマンです。アートマンというのは、強いて言うならば、地球上における酸素です。あらゆるところに酸素は行きわたっていますね。私たちの肺の中にも行きわたっています。つまり、私たちの体の外にも中にも酸素はあるわけです。私の中にも存在し、私の外側にも遍在する、すべてを生かす力です。

アートマンは基本的には真我と言われているものです。ということは、真我とは何かというと、結局は全部だということです。ですからこれを、インドでは、アートマン＝ブラフマン（梵我一如）であると考えるのです。

では、アートマンとブラフマンにはなんの違いがあるのでしょうか。

人間の認識には、自分の内側を見る認識の仕方と自分の外側を見る認識の仕方の二種類があります。中間はありません。外を向いている意識を神に持っていくと、その先にあるのはブラフマンであり、自分の意識を内に向けて、ある絶対的なものを指し示すときは、アートマンという言い方をするわけです。ですから簡単にいえば、ブラフマンは神であり、アートマンは真我であると言うことができます。

一元論（アドヴァイタ）に立った考え方では、この絶対真理をブラフマンないしアートマンであるという言い方をするわけですが、二元論（ドヴァイタ）においてはこれをひっくるめてプルシャといいます。そして、プルシャと対になっているものをプラクルティと表現します。プルシャとプラクルティで二元論というわけです。この二元論に立った考え方がサーンキャ哲学と言われるものですが、のちのち実践方法としてヨーガという形になります。ですから、ヨーガでは、基本的にプルシャとプラクルティという考え方をするわけですね。

例えば、ヨーガをやることによってクンダリニーが覚醒する。クンダリニーが覚醒するということは、プラクルティが覚醒することです。プラクルティが覚醒してプルシャと合一します。教える先生によっては、プルシャのことをシヴァと言い、プラクルティをカーリーと言ったり、このプルシャを父、プラクルティを母と言ったりします。

私からすると、一元論も二元論もなんら矛盾のある話ではありません。基本的にやはり私たちが最終的に到達していくのは、ブラフマンやアートマンという一元的なニュアンスのところです。

私も昔から「神」という言葉については悩んでいます。地球上の多くの人たちは信仰のある環境下にいます。日本にいると無神論者が圧倒的に多いように感じられますが、世界的に見れば無神論者は少ないのです。ただ、無神論の人にしても信仰のある人にしても、「神」という言葉に対して、それぞれのスタンスで既にイメージされているものがあります。環境が変われば神という言葉の理解が異なってくるので、私の使う「神」という言葉がうまく伝わらない部分もあると思います。

しかし、神という言葉を使わないようにしたとき、それに取って代わってそのものを表現する言葉が見つからないのです。なぜかというとこの言葉は「神」のことを表すために存在する言葉だからなのです。ダイレクトにそれを指し示している言葉ですから、神のことを神というのが、私は好きです。ただし、語弊があると言えばあります。

私は神を表す言葉探しの旅の途中なのですが、いまだにぴったりはまる言葉には出会えていません。今のところは神で仕方ないかなと思っています。ですが、前置きをしてこの言葉を使うようにはしています。この人の言っている神というのは、含みがあると理解をしてもらうことで、その意識が働き続けるからです。かといって、私が「神」という言葉をすべて「真我」という言葉に置き換えてしまったら、それではなんだか嘘のようになってしまいます。

私が本当に目指しているのは、意識の中の四次元感覚や五次元感覚に訴えかける「神」

という表現です。あなたのその意識の中に在るじゃないか、と。「プログラム」や「みころ」という表現は、神の属性であり副次的なものであるので、まだ表現しやすいのです。しかし、神そのものになると、究極の一発をお見舞いしないといけません。そして、恐らくそれは、神という言葉でもないのです。神という言葉には摑みどころがありますが、摑みどころがないというのが本当はポイントなのです。実態があるようなないような言葉、カーラナシャリーラに働きかけるような、その一言で覚醒するような言葉。しかし、なかなかそう簡単にはいかないのです。

言葉というのはすごく重要ですが、言葉では伝えられない。しかし、そのギリギリ近くまで行けるのが言葉だから、私は喋るのです。

——神の声を聞いたという人の話を聞いたことがあるのですが、神の声は聞くことができるのですか?

神の教えというものを、言葉なき言葉として受け取ったことはよくあります。

その中でもすごいと思ったのは「真の啓示とは、啓示なき啓示を真の啓示という」という言葉です。私の中にパッと出てきたものですが、本当の啓示は声として聞こえるものではないということです。

神の言葉を「聞く」というのは感覚器官を使っているわけです。聞こえる、見える、そういうものを通してやってくるものは、本当の理解の上に成り立っているものではないので、次のものが来たときに、前のものに取って代わる可能性はいくらでもあるということなのです。

例えば、神の言葉を聞くという人に「右に行きなさい」と言われたとします。ところが次には「左に行きなさい」と言われます。「なぜこの間は右だったのに、今度は左なんですか?」と尋ねても、それは神がそう言ったのだから仕方がないということになってしまう。その声に従ってきた人は、それに従わざるを得ません。「神がこういう啓示をくださったよ、だからあなたはこうしなければいけないよ」というのは変わる可能性があるということであり、人を振り回すことが多々あります。

「啓示なき啓示を真の啓示という」というのは、そのように、従うべきは、ああだこうだという声を超越しているということです。

インドの聖者の言葉などの中には、「神がこう言った」というものではなく、「神とはこういうものだよ、人はこのようにいくべきだよ」ということを「わかっている意識」における理解として語っているものがありますね。それが、真の神の言葉だと思います。

――神は見えるのですか？

神は非顕現です。見えません。そして、見えないということを受け入れるのはとても大事なことです。神は非顕現であると断定しているのは、人にとって神が顕現するわけがないということです。

例えば、イブン・アラビーの詩に、このようなものがあります。

「私の『愛する人』が現れるとき、どんな目で私は『彼』を見るだろうか。それは『彼』の目であって、私の目ではない。『彼』以外に『彼』を見る者はいないからです。」

私は、目覚めた後しばらくしてこの詩に巡り会ったのですが、なんてパーフェクトな詩だろうと思いました。神を見る自分の目は、もう自分の目ではありません。自分の目は神の目になっている。なぜならば、神は非顕現なので、人の目が神を見ることはないからです。神を見るのは常に神の目です。

例えば、断食をしたり、籠ってマントラを唱えながら暗がりの中で瞑想したりしていると、ビジョンを見ることは確かにあるわけです。しかし、それで自分は何も変わりません。ところが、わかるという体験をしたときは、何も見えてはいないにもかかわらず、その瞬間に明らかに自分が変わってしまいます。それが「『彼』以外に『彼』を見る者はいない」

という言葉に集約されています。

神というのは物質ではないので、見えるものではありません。非顕現というのは五感にとって非顕現であるということです。神を経験するのは五感を超越したところの経験ですから、超感覚で捉えなければならないのです。ですから、私はひたすら非顕現であると言います。

ニーム・カローリ・ババは、弟子から神を見る最も早い方法について聞かれると、「私も神を見たことはない。神はこの二つの眼では見ることはできないのだ」と言ったそうです。その通りだと思います。顕現しているようなものは、何か別のものなのです。

——神はどこでどのように見つけたら良いのですか？

神は常に自分が認識しているところにしか在りません。つまり、それは私たちの意識野の中に在るということになります。ですから、隣の部屋に神が来ていて、それに自分が気づかないということは起こり得ません。

神は認識されるものにとって現実となるので、自分がいなければ神はないし、もし認識する人がいなければ神の存在自体が危ぶまれるということになります。より強いリアリティを伴って神の認識をする人がいれば、周りの人はその恩恵にあずかれることになり、そのように神を認識する人が増えれば増えるほど、神のエネルギーは高まりを見せます。

神は私たちが子どもの頃から当たり前に在る存在です。私が三十歳のとき、助けにきてくれない神に対して癇癪を起こし、決別するという経験をしました。そして、決別してはじめて神の不在の感覚を得ました。「神がいなくなる」という経験をして、はじめてそのことがわかったわけです。もちろん神は遍在しているのでいなくなったわけではありませんが、そこに「神が在る」ということを認識していなければ、それは在ったとしても認識されず、ただ在り続けるだけです。

例えば、富山の方にヒスイ海岸という場所があります。そこでは、ヒスイやメノウを見つけることができます。玉砂利の海岸ですから、まさに玉石混淆です。そして、そこに行ったとしても、宝が眠っていると思わなければ、ただの砂利ビーチにすぎません。砂浜のビーチであれば、ただぼうっと寝ているのに、ヒスイ海岸では基本的に皆、起きた姿勢できょろきょろしているのです。あわよくばヒスイやメノウが見つからないかと思って。

そこで何もアナウンスがなされていなければ、ただ玉砂利の海岸で遊んで終わりますが、「ありますよ」と促されているから見つけようとするし、「ヒスイ海岸」と言われているのだから、ヒスイは必ずそこに眠っているのです。ただし、そう簡単に見つかりません。しかし、ヒスイが出るところで探さない限り見つからないし、探せばもしかすると見つかるかもしれないのです。

私たちの意識も、促されなければ玉砂利の海岸と一緒なわけです。「そこに神が在りますよ」と言われるから、意識の中で神を一生懸命に探すわけです。だからこそ、見つけられるのです。探さなければ見つけることはできず、自分の意識は常に苦しんでいる意識で終わってしまいます。

私たちの精神というのは、書いて字のごとく「神のエッセンス」です。この精神の中に神が在ると謳われています。まさに、「ヒスイ海岸」と看板が出ていることと同じです。ヒスイが出ない海岸より、ヒスイが出る海岸の方が面白そうだからわざわざそこへ行くように、私たちは精神という文字をよく考えてそこを探求していけば、神を見つけることができます。精神の中に神がちゃんと埋まっていると言われているのだから、ここを探せば絶対に出てくるのです。

――「神に怒られる」とおっしゃいますが、どのようなことをすると怒られるのですか？

神によく怒られる経験をしている人はわかるはずなのですが、神の怒るツボというのは「こんなことをしたら怒られるだろう、こんなことを思ったら怒られるだろう」と普通に考えられるようなところにあるわけではありません。

例えば、徳を積もうとすると怒られることがあります。仏教の中では徳を積むことが奨励されていますが、なぜ徳を積もうと思うかというと、来世でより良い環境に自分が生まれ変わるため、つまり得をするという理由からです。それは、エゴの支配下にあるものです。ですから、エゴの撲滅を目指している仏教で「徳を積む」というのは矛盾しているなと思います。そして、それは神に怒られることがあります。「力の限り私を愛さずして、一体何があるのだ。自分のために徳を積もうなんて」と。

その反面、当然神から怒られるだろうと思うことであっても、怒られないこともあります。

例えば、酒を飲んだ、タバコを吸った、毎日ケーキを食べた、そういうことで怒られるということではありません。つまり、戒律に反したことをしても必ずしも怒られるわけではないのです。それよりも、神の怒るツボというのは、その人の「認識」に由来します。おかしな認識を持っていると怒られるのです。例えば、先ほどの徳積みのように、エゴを成長させるような発想をすると、怒られるのです。

ここにいる人たちは、よく怒られることがあるようです。そして、いまだにツボがわからなくて、あらゆることにビクビクしていますが、怒られたらそのときに反省をすれば良いのです。

――神に怒られると、どのようなことが起きるのですか？

怒られたら、そうだとわかります。現象でわかるときもあれば、気分がガンと落とされることもあります。その両方で来ることもあります。ただ「あぁ、これは怒られているな」と自分ではわかる。つまり、神の意志に反しているということがわかります。それは、怒られることによって、だんだんわかってくることなので、怒られるしかありません。

そして、怒られることで自分の中のブレがなくなってきて、神に対して一筋に伸びるようになってきます。何が大切で何が大切でないのかが、明確になってくるのです。

インドでもチベットでも日本でも、いろいろな国に「風狂」の伝統はずっと伝わってきていますね。悟っているけれども奇行に走る人たちです。彼らは、戒律をめちゃくちゃに破壊したりします。しかし、覚醒状態は維持されているわけですから、神に怒られているわけではありません。

人間の解釈で、常識的なレベルの約束を守るということが戒律を守るということです。反対に、それを守らないと戒律を破壊するということになりますが、それが必ずしも神の意志に背いているわけではないのです。

神の意志というのは、実に絶妙なところにあります。その人と神とのルールが、その人にとっての戒律なのです。密教で言うところの「三昧耶戒（さんまやかい）」という、師匠と弟子二人の間の決めごとのようなものです。

例えば、私の場合は師匠から「豚を食うな」「胡椒を食うな」というようなことを言われました。何か月も経った頃に「まだ豚肉は食べていないのですが……」と言うと「そんなこと言ったかな。もう食べていいよ、別に」と言われる。「日中出歩くな、夜も出歩くな」という戒律を与えられることもありました。「それでは、いつ出歩けばいいのですか？」「つまり出歩くなという意味だ」といったような、師匠と弟子の間で交わされる戒律です。

それと同じように、神から怒られることによって、神と自分との間の戒律が決められていくということです。ですから、怒られなければわからないのです。そしてその戒律は、神次第ということですね。一番大事なことは、「あなたの仰せの通り」という神と私の主従関係であり、それに従うということだと思います。

――自分が悟っているか悟っていないかは、どのようにして知られるのですか？

「悟る」という言葉は「これはこうだと悟った」と普通に使用する言葉であり、「私がそのように理解した」ということを意味します。つまり、悟りというのは、本質的に人から認めてもらう必要が一切ないということです。わかったという結論に至って、その答えが揺るぎないというのが悟りです。

私自身のことを話しますと、二十歳のときにすごい神秘体験が起こりました。子どもの頃から霊感体質で、いろいろな神秘体験のような経験はしてきたけれど、そのときの体験はそれらとは全く違う次元の体験でした。一、二週間の内に、「時間とはなんであるのか」という体験が起こり、次に「空間とはなんであるのか」という体験が起こったのです。

まず、時間の体験を通して、「時間がない」ということがわかりました。次に、空間の体験を通して「空間がない」ということがわかりました。そのときに、私は「わかった」と思いました。ところが面白いことに、神は次から次へと、次のステップに向けて私を動かそうとするのです。

まず、そのときは日本にいたのですが、周りの人々が口をそろえて「インドに帰れ、インドに帰れ」と言い出しました。親までもが金を出すからと、そのように言うので、インドへ送り出されました。そして出国したら、普通は起こり得ないことが日々起こるようになってしまったのです。

前回インドに行ったときは、危険な目には遭ったけれど、それから起こるようなわざとらしい体験が起こったことはありませんでした。

まず、インドに行く前にバングラデシュに行くと、そこで監禁されてしまったのです。

そして、「金を出さなければベンガル湾に沈めてやる」と脅されました。それを乗り越えてインドに着いたら、カルカッタで乗ったタクシーが、あろうことかインドで神聖な動物とされる牛を轢いてしまい、怒った村人たちの襲撃に遭いました。私は客だったので難を逃れましたが、運転手は引きずり出されて殴られ、警察官が来てやっと沈静化されました。その後、内陸に行くバスに乗ると、そのバスがマシンガンを持ったテロリストに襲撃されたり、シーク教徒が運転するバスに村人が飛び乗ってきて、運転手を引きずり出し、運転手のいないバスが暴走するという事態にも遭いました。ベンガル湾では目の前のインド人が溺れ死に、ダラムサラに行くバスが動かなくなって止まり、バスから降りたら人が轢かれて死んでいたりするのです。

「空間や時間はない、この世界はない」という結論に至り、それから変わりない平穏な日常が続くのであれば、そのような結論に納得できますが、マシンガンを突きつけられたら「この世界はない」とはならないのです。「ここをなんとかしなくては！」と思います。そうなったときに、「この世界はやっぱりあるんだ……」と思うわけです。そして、違う結論が必要だという思いに至り、チベット仏教の修行をやっていこうと思いました。

しかし、チベット仏教の修行をやっていても結論が出ないのです。二十歳から三十歳くらいまで、約十年間やっても意識は変わりませんでした。いろいろなビジョンを見たりはしたけれど、根底から変わるということはなかったのです。ですから、諦めてサラリーマンをやっていた時期がありました。そのなかで、仕事上で霊能者などと付き合う機会があり、私の意識が修行時代に引き戻されていったのです。

そして三十五歳のときに、時間がないとか空間がないとか、そういう概念的な結論ではなく、「神がいる」という経験をしてしまったのです。「すべては神のプログラムで、すべては神がやっている」ということを経験してしまいました。「そうか……単にそういうことだったのか！」と、コロリとそこで変わってしまったのです。それから自分の意識は全く変わらなくなりました。ですから、これが間違いなくひとつの結論だったということがわかったのです。

ですから、「悟り」というのは、人が認めるか認めないかではなく、疑問の余地のない結論に自分が到達するということなのです。また、自分が悟っているか悟っていないか、その疑問すら出てきません。私が悟っていようといまいと、それは神が決めていることだから、答えは神のみです。悟りなど、どうでもよいことになってしまうのです。

――悟りというのは修行の成果ではないのですか？

悟りというのは修行の準備ができたから訪れるものではないし、修行をした成果によるものでもありません。してなくても来るときは来ます。

例えば、ラマナ・マハーリシはアルナーチャラで瞑想に明け暮れましたが、それは悟った後です。ラーマクリシュナも、悟った後に先生から方法論を教えてもらうということがありました。この人たちのように、先に答えが出てしまうケースもあります。悟った後で、その悟りをより完成させていくために「悟後の修行」をさせられるケースです。つまり、修行をしていなくて悟りが来た場合、そのつけは支払わされるということです。ただのものはないということです。

自分には悟りは来ないと思っている人には、悟りは来ません。自分は悟れると信じている人の方が、無理だと思っている人よりも絶対的に有利です。私がなぜインドやチベットに行って修行していたかというと、自分は悟れると強く信じていたからです。しかし、十何年修行して、三十歳になったときに、ついに自分が封印していた自分のダメな部分に対して、目を逸らすことができなくなりました。聖人君子にはなれない、自分にはそこまで行くことなどできないと思ってしまったわけです。でも、実際はそういうこととは無関係だということがわかりました。

ですから、自分には到達できないと思うのは、そういう自己否定的なマーヤがあるということだと理解すると良いと思います。

――「自分は悟れる」と思うことはエゴを育むことにはなりませんか？

エゴを育むことになり得ます。しかし、それはバランスの問題です。ですから自信満々の人がいますが、過剰な慢心は絶対に悟りには到達しません。ですから、そういう人には、そのようなことは言いません。それ以上、自信満々になる必要はないからです。そのような人に対しては、私は利他の心を育めと言います。しかし、こういう世界に入ってくる人は、もともと自信のない人が多いのです。ひとりで悩みがちな人が多い。ですから、そういう人には、自信を持つようにと言います。私は真逆のことを言いますが、タイプが違えば言うこともまるきり違うということであって、私の中ではそれらは矛盾していません。どちらも必要だからです。

自分を明け渡す放棄に勝るものはありません。しかし、自分を放棄するためにも、自分が強くならないといけないということはあります。放棄するということは、ある意味で強烈な自信の表れでもあるのです。

自分は行けると思うことも大事だし、利他心を育むことも大事です。これは言葉の問題ですが、自信と謙虚さは相反することではありません。達成した人は、自信に満ちつつも謙虚です。それが聖者のしるしであり、コインの裏表のように、その両方を持ち合わせているのです。しかし、慢心と卑下は良くありません。謙虚さは人によっては卑下になり、自信は慢心になります。ですから、常に自信と謙虚さに満ち溢れていなければならないということですね。その言葉に自分がどういう魂を吹き込むかです。

ラマナのような威厳に満ち溢れたグルたちの姿を見たときに、私には「決然」という言葉が浮かびます。決然という言葉は、「自然」と「決意」という言葉が合わさった言葉です。

決意とか決心という言葉があり、同じような意味で、「覚悟」という言葉もあります。こちらは、文字通り「覚り」「悟る」ですから、覚悟は一番重い言葉です。決意と決心は、いずれにしても「心」が決まったということであって、それは「よし」と決める、瞬間のエネルギーです。その決心や決意は揺らぐ可能性があります。しかし、決然さは、くじけません。なぜならば、心が決まったということが、然るべき状態になっているということだからです。決心した心の状態がずっと続いているのが、「決然」ということですね。

ですから、グルとか覚者のあの決然とした感じというのは、その状態が自然にその人の然るべき状態になっているということなのです。

——霊的な感覚と覚醒とは関係があるのでしょうか？

私は、霊的なことは、わかるときはわかるし、わからないときはわかりません。そして、霊的なことはどちらにしてもマーヤです。マーヤは、唯一性からはかけ離れています。私にとって問題なのは、神が在るかどうかだけです。「今日は気がいっぱい出ているな……」というようなときもありますが、そういうときに限って意識が曇ります。霊的な感覚に長く浸かっていると、マーヤにやられてしまうのです。

これは、覚醒者と超感覚者が明確に分けられるべきところです。覚醒者にとって興味があるのは、神や真我だけです。一方で、超感覚能力者というのは、自分の感覚に応じた霊的な世界に興味があるのであって、神ではありません。神が存在するということは超感覚によって知ることはできても、神になることはできないのです。しかし、覚者というのは神になっているのです。神と感覚を共有している。その感覚は自分ではありません。神の意識が自分の中に入ってきて自分を満たすのですから、それは自分ではないのです。

それになることが、神を理解するということであり、それになるというのは、完全にそれによって満たされることです。

霊的な感覚においては、見るものと見られるものが存在しています。その垣根をぶち壊して、見るものと見られるものの区別がないという境地に辿り着かなければ、本当の感覚になれたとは言えないということです。そして、それは「唯一」です。

本来的に言ったら、実は最もシンプルなことなのですね。しかし、シンプルすぎて難しくなってしまっているのです。私たちの頭の中には、たくさんの量の情報が入ってきます。ひとつ知るごとに脳の構造が複雑になっていきます。しかし、本来的には実にシンプルなことです。ですから、今まで入ってきた情報をどのくらい取り除くことができるか、ということです。

野球にたとえるならば、打たれないような球を投げることがピッチャーの使命です。そして、正々堂々と剛速球を投げるのではなく、変化球を一生懸命習得しようとします。超感覚者たちは、超感覚を鍛える方法として瞑想テクニックなどを教えます。それは変化球の投げ方を教えているようなものです。しかし、変化球というのは、ストライクにならないのです。ボールになる。そして「あいつは変化球投手だから、打つのはやめよう」と打者がバットを振らずに待っていたら、フォアボールで塁に出てしまうのです。しかし、そのような投手は直球を投げたら球の速度が遅くて打たれてしまいます。つまり、勝ち目がないのです。本来は、ストライクゾーンにストレートの直球を投げないといけない。それでいて、打たれないような球を投げなければならないのです。そのためには、球にスピードが乗ってくる必要があります。

私が皆さんに何を教えているかというと、筋力トレーニングをさせているのです。脳の筋力トレーニング。それは、ストライクゾーンのど真ん中に剛速球を投げる方法です。変化球は絶対に教えません。透視術や、クンダリニー・ヨーガ、ゾクチェンは変化球だから、教えません。神様直球です。そして、その剛速球をどう投げれば良いのかということです。

小手先で変化を加えられるものは王道ではありません。王道というのは、ど真ん中で勝負すること。ど真ん中で勝負するには、ど真ん中で勝負できる自信と揺らぎのない自分をつくることです。それは、霊感によって何が見えるとかいうことではなく「神だろう！」と、ど真ん中に決まることです。私はそれをわからせたいのです。

ここに来る人は、投手しかいません。私が変化球を禁じているので、直球の速球だけ投げる投手なのです。

――覚醒する前と後の感覚の違いについて教えてください。

覚醒というのは、神の恩寵によって起こります。神の意識体が自分の中に流れ込んでくる。そして、この体の中で自分の意識ともうひとつの意識体を有することになります。

普通は、自分の意識しか存在していないわけです。そして覚醒すると、神の意識になる。私に関しては、自我の撲滅とは何も関わっていないので、自己の意識と神の意識が共存しています。

その二つの共存を、昔の人たちはあまり好ましく思っていなかったようです。なぜならば、覚醒によって神の意識と自己の意識が共存してしまうと、チベットでは「ニョンパ」と言われていますが、「風狂」、つまり常軌を逸した人のようになってしまうところがあるからです。これは、いろいろな宗教の歴史の中でありますが、人格破綻者のような振る舞いをする聖者、風狂の聖者たちはインドにもたくさんいました。ネイティブアメリカンの中ではヘヨカ、聖なる道化と言われます。日本でいえば、一休さん。そのような人たちは、神の意識が自分の中に入ってくることで、人間が守って生きている規律というものがひっくり返ってしまうので、それらをすべて破壊したりするのです。従うべき規律というのは、すべて人が作り出したひとつの幻想だからです。

しかし、そうすると世の中の秩序が乱れてしまいますので、覚醒の予備段階の修練として、自我を消滅させる訓練を行わせてきたところがあります。自己がある程度クリアーになってきたところで覚醒が起こり、神意識が自分の中に入ってきた方が良い、ということなのですね。人間の持つ欲などを意志の力で抑え込む訓練をさせ、おとなしくさせた後で神意識が入ってきた方が好ましいと考えたわけです。そうでないと、危険思想になってしまうのです。おとなしく寺におさまるのではなく、さまよう乞食僧のようになって、村々で暴れ回るとかですね。

私の場合も、自分の感覚も持ち合わせていながら、神の意識の感覚も同時に存在しています。

――覚醒したとしても、車の構造について詳しくはなれないと思いますが、精神的な世界についての知識は覚醒によって得られるものなのですか？

意識が覚醒することによって、自分の中に明確な理解力が存在するようになります。こうなって、こうなって、こうなっているからこうなる……と、物事の連携が前後で絶妙になされているということがわかるようになります。

確かに、覚醒したからといって、車の構造がわかるようになるわけではありません。しかし、もし覚醒していない人と覚醒している人が同じく車の整備士であったとしたら、覚醒している整備士の方がすごいのです。それは、なぜここがおかしくなるか、わかっている人の中ではすべて理にかなっていて、その理屈がわかるのです。前後左右の繋がりが、わかることによって見えるようになるからです。

ですから、その人はわかってから、はじめて車の整備の意味を理解するわけです。そして、この世の中の流れの仕組みと、車の整備をリンクして考えることができるようになります。そうすると、車の構造と教えとをリンクさせて話すことができるようになるわけです。

——悟りに至るまでの間の経験で、間違った経験というのはあるのでしょうか？

間違った経験も神が与えているものです。なぜ神がその経験を与えるかというと、その経験を通して、私たちが学ぶことができるからです。

私もかつて修行していたときにはさまざまな経験をしました。例えば、瞑想の修行中に、光を見たり、ビジョンを見たり、神らしきものを見たり、観音菩薩のようなものを見たり、おばけのようなものを見たり……。いろいろな体験をしたけれど、「神をわかる」という覚醒に到達したときに、それらのことはどうでもよくなりました。というのは、神を理解する、わかる、というのは、それらの経験とは及びもつかない体験だったからです。それらの経験は、いっとき高揚するけれども、結局自分の意識は前と変わらず、自分の苦しみや迷いが吹き飛ばされてしまうことはありませんでした。

つまり、わかるという経験をすると、自分が完全に変わってしまうのです。今までの延長線上にはあり得ない出来事が自分の中で起こってしまう。かつての自分は死に、新しい自分が生まれるというほどの経験になってしまうのです。そして、今まで信じていたものが、すべてマーヤになってしまい、今までぼんやりしていた神だけが唯一の実在になり、ものの見方や感じ方、考え方、あらゆるものが劇的に変化してしまいます。それが、真の神をわかるという体験です。

そして、はっと見回すと、すべてが「あるがまま」なのです。今まで見ていたものとなんにも変わらないのだけれど、見ている自分の意識が完全に違うものになってしまっている。私もこれは、想像だにしていなかった経験でした。

私は子どもの頃から、悟りたいと思って頑張って修行をしてきました。そして、あらゆる角度でそれを考え、想像し、期待をしてきました。しかし、それらの想像や妄想の一切を超える経験だったのです。わかっていない頭で想像して、想像できるようなものだったら、それは悟りではないのです。

しかし、突然「今までの自分は、ただわかっていなかっただけなんだ」とわかってしまうところに至ります。単純に「マーヤ」で曇らされていたから神を味わうことができなかっただけだったのです。「神が在る」と頭ではわかっていても、本当の意味ではわかっていなかったのですが、本当にただそれだけのことです。しかし「わかっていない」ということは決定的であり、今までの経験と、わかってからの意識は、百八十度違うものでした。すべてがひっくり返ってしまうようなことなのです。

とにかく、わかるということが目覚めて生きるための前提なのです。そのために、いろいろな修行法が昔から教えられてきましたが、それらはすべて準備段階の道具であり、それが大事なのではありません。大事なことは「わかってしまえ！」ということなのです。

昔から、なぜ人々があらゆる努力の果てに覚醒を目指したかというと、それだけの価値のあるものだったからです。覚醒が日常の延長線上にあるのならば、それは、目指すほどのものではありません。

私からすれば、覚醒というのはよりシンプルな状態になることを意味しています。しかし、その経験というのはあまりにも普通ではないのです。シンプルになるということが、どれほど普通ではないことか。その普通でないありさまが、「ブッダが悟ったときに、木がすべておじぎをした」というように描かれたのだと思います。

皆さんは、実は既にそれを知っているのです。二、三歳の頃は皆、覚醒状態にいました。楽しいか悲しいかのどちらかしかなくて、苦しみは存在しませんでした。それは、苦しみを考える思考力がまだ発達していないからですね。子どもというのは、各々の性格に従ってはつらつとしています。しかし、親に「ダメ！」と叱られる。そしてまた同じことをしては「またやったの！」と怒られる。そして、「何回言ったらわかるの？」と言われてしまいます。親や学校の先生に怒られるたび、社会からあれこれ言われるたびに、子どもの中にどんどん「僕はダメな人間なんだ」とマーヤが積み重なっていくのです。

そして、「こんな自分ではいけない」と、いろいろな本を読んで勉強を始めます。しかし、どの宗教書を読んでも自分のことを肯定できるようなことは、何ひとつ書かれていないのです。朝は三時に起きなければいけない、菜食をしなければいけない、ヨーガを実践しなければいけない、と。これらが、どうやって自分を救ってくれようか。宗教書を一冊読むたびに、マーヤがさらに積まれていくのです。

これらのマーヤをひとつずつ取り除いていくことが、覚醒に至る道なのです。二、三歳児と覚醒した人の違いは何かというと、マーヤが生じては取り除くという作業をし続けているために、その経験が残っているところです。ラーマクリシュナなんて、本当に小さな男の子のようでしょう？　私たちはかつて、そのようだったのです。

――なぜ神は現象世界を創る必要があったのでしょうか？

私も疑問だったので、神に尋ねたことがあります。それに対して、神は「放っておいてくれ」と答えました。そして「放っておいてくれ」というその神の答えに、私は心底納得しました。神がなぜ現象世界を創造したのかは、神の問題であって、私の問題ではないということがわかったからです。それ以来、この世界はなぜできたのかというところは、私の仕事ではないという理解をしています。

たとえるならば、砂漠の中に池があるとします。私たちが砂漠をさまよい、喉がカラカラになっている状態でその池に辿り着いたとき、私たちがしたいことはその水を飲むことですね。この池はどのくらいの深さがあり、どのくらいの生き物が存在していて、ここの湖底がどうなっていて、何立方メートルの水があるかについては、知る必要がありません。この水をひとくち口に含んで、命を繋ぐことができれば良いのです。

ラーマクリシュナが「私は神への愛がほしいのだ。神の無限の栄光を知りたいなどと思いはしない。一瓶の酒が私を酔わせる。酒場に何ガロンの酒があるか知りたいなどと思うものか」と言ったといいます。つまり、神がどうしてこの宇宙を創ったのかについては、考える必要はないことだと、ラーマクリシュナは弟子たちに言ったわけですね。そして、全くその通りだと私も自分の経験を通して思いました。

ラマナ・マハーリシもそのようなことを聞かれたときには「まず、あなたが誰なのかをわかりなさい」と必ず言いました。「それがわかった後で、これらのことについてまだ興味があるのなら、そのときに考えなさい」と。

つまり、自分と神の接点のことだけを考えれば良いのです。宇宙がどうやって生成されたか、宇宙がどこまであるのか、それらは人類にとってはワクワクするような知りたい内容ではあります。天国が存在するのか、地獄が存在するのかについてもそうですね。しかし、神と私たちの関係において知るべきことは、神と人間の接点のことなのです。

ですから、それらについては、皆が好きに考えれば良い。そして、それが合っているか間違っているかは、あまり関係のないことです。

――悟りの永遠性について教えてください。

私たちが望むものは永遠です。終わりがないというところから来る安心感は、完璧です。逆に、終わりがあると思うと、今どんなに幸福があったとしても、それは恐怖でしかありません。

獲得したものはいつかなくなります。しかし、生まれながらに在るものは、死ぬまで在り続けるとわかっているから、恐怖がありません。悟りが得られるものであるのなら、終わりがあります。悟ったことに終わりがあるとしたら恐怖です。しかし、悟りと恐怖が同居できるわけがありません。

悟りというのは永遠なのです。永遠の安らぎと答えを与えてくれるものですから、それは絶対に永遠でないとならないものです。得られたものはいつか手放さなければならない。やってきたものは、いつか必ず去っていく。しかし、悟りははじめから在るものであり、終わりがなく、常に在るものです。ただ、マーヤがあるからそれに気づけなかっただけなのです。ひとたびそれが明らかになったら、これはもとから在るものであり、これからも在り続ける。自分が死んでも在り続けるものなんだなと気づきます。そして、葛藤が大きければ大きいほど、悟りの花火は大きくなるのです。

――真理をわかった後、望みが出てくることはあるのでしょうか？

私の認識でいくと、望みが出てくることはあります。わかるまでは、わかることがひとつの目標でした。そして、わかった後で、私にはもうひとつの目標が出てきてしまったのです。

それは、すべてが神のみこころだと理解したうえで、そのみこころに完璧に従い、私に与えられたものを正しく遂行したいという思いです。

子どもの頃から与えられた生きざまを集大成していくと、ひとつの筋の通った生き方になるということを見せられる経験をして、神や悟りについて話すということが、自分にとっての大きなミッションだということがわかりました。

修行していたときは、人類皆を救うということが起こったら良いなと思っていたけれど、わかる人は限られていて、救える人は限られているということになります。ですから私は「神のみこころが行われ、そのみこころに従うことができますように」と、一日に二度三度、神に対して祈ります。

起こる出来事には、すべて理由と目的があります。ですから、理由と目的がわからないと力になりません。逆に、その理由と目的を知ったときは、すごい馬力になります。馬力には方向性が必要です。ですから、マーヤ解きをしていくときに、理由と目的を考えることはとても大事なことです。

自分にとって必要なことが起こっている。そして、その理由と目的が正しい場所に立っていることを確認する方法です。そうすると、みこころが見えてきます。

「すべてはただ起こっている」という世界の捉え方があります。また、「すべては起こっていない」という捉え方もあります。それらは正しいと思います。

しかし、私は起こることには理由と目的があるとする捉え方が好きです。そう捉えた方が、人生は意味のあるものになるからです。ただ起こっているだけであれば、人生は意味のないものになってしまいます。何も起こっていないとすると、ますます意味がありません。なんのためにこんなに大変な思いをして生きているのかわからなくなります。

起こっていないとか、ただ起こっているだけだと言っているその人たちも、毎日生きている中で必ずさまざまな出来事が起きているはずです。そこで、「これは起こっていない」と言い聞かせながら毎日生きていると思うのですが、それで面白いでしょうか？　それで自分の人生に価値や意味を見出せるのか、ということを私は言いたいのです。

私たちは、みっともなくても、格好悪くても生きているわけです。私はそれが人間だと思うのです。その、ぐちゃぐちゃになって生きていくことの中に、それぞれ一つひとつ理由があり、目的があります。だからこそ、私たちは一人ひとり存在していて価値があります。価値のない人はひとりもいません。それはもう、神様の家族なのです。私たちは神を頂点としたひとつの地球という大きな部族です。

軽く頭がすっきりするような理由で自分を麻痺させたり、ごまかしたりすることは、どうかと思います。皆尊い人生を生きています。代役がいない人生、自分にしか生きてくることのできない道を歩んでいます、そして、それぞれ縁のある人と関わっていく。だから、私は苦しくてもつらくても良いと思います。

日々起こること一つひとつに意味のないことなど、何ひとつとしてありません。そして、それには出すべき答えがあり、理由も目的もあります。それを自分がわかったときに、「生きていて良かった」と自分の生に感謝することができるようになります。

そして、この自分を存在させてくれた父母に感謝することも、先祖に感謝をすることもできるようになります。さらに、私たちの生活を見守ってくれている氏神様といった神々様にも感謝することができます。最終的に、私たちを根本的に存在させているマザー、つまり根源的な母なる存在、そしてすべての源である神に本当の感謝ができるわけです。生きていて価値のあることというのは、そういうことだと思います。

――悪人が悟るということはあるのですか?

悟りというのは、自分の中に結論が落ちることです。それは、自分が善人であれば善人であるがままの状態になるし、悪人であれば悪人であるがままの状態になるということです。悪人でこの道を探求する人の方が稀ですから、悪人が悟りの状態に到達することは、例としてはそんなにあるものではありませんが、邪心がある人はいます。わかったことで教えて金儲けするというようなことは、ある意味で悟りが人間の持っている欲や権力、地位、名声などを叶えるためのひとつのツールになってしまっているということです。そういうことが全くないとは言えません。

例えば、私は教えている中で、二つの道を説きます。明確な分け方をしているわけではないので、全くもってシステマチックにできることではありませんが、ひとつの教えの側面というのは、悟ること、わかること。もうひとつの側面は、神と繋がることです。

神と繋がることが、悟りであるとは限りません。神とは繋がっているけれど、わかった状態にならないという人もいます。逆に、神とは繋がっていないけれど、わかってしまう人もいます。

神というのはすべての生命のソースです。ということは、神というのは生命体であり、宇宙は生きているのです。私が宇宙や神を感じるとき、そこに膨張と収縮を繰り返す、心臓のような鼓動が存在していることを体験します。これが、神が生きている、生命体である、ということです。その生命体である神と、愛によって繋がることができるわけです。そして、その繋がりの中で神と共に歩んでいく人生というのがあるわけなのです。

それとは別に、自分の人生に対する終止符を打つということがあります。つまり「死ぬ前に死ぬ」ということですが、自分の人生に対する結論がひらめく悟りというものが存在しています。その悟りというのは、あるがままにものを見る智慧です。そうすると、例えば自分が悪人であれば悪人のままで良いことになるし、善人だったら善人で良いということになります。つまり、自分の中に生じた答えが自分に対する究極的な自己評価になるということです。

そのなかでも神と繋がっている人は幸せです。それは、人は悟った後でも修行が続いていくからです。

「悟後の修行」と昔から言われていることですが、本当の修行は悟った後にあります。なぜかというと、悟ることによって、はじめて人は物事のありさまを正しく見ることができるようになるからです。今まではマーヤに陥っている自分が物事を見て判断しているわけです。しかし、悟れば、本質が見えてきます。

私たちは、朝目が覚め、一日が始まります。目が覚めてから寝るまでが人生です。寝ている間は自然と人生にはカウントされません。悟りの感覚でいくと、悟ったところが起きたところなのです。つまり、悟るまでは寝ている状態で、まだ自分の人生が始まっていないということになります。目が覚めたところで、はじめて自分の人生が始まります。起きているからこそ、色々と見聞きし、考えたり反省したりすることが可能になります。ということは、わかった後の修行が、まさに本当の修行になってくるということです。そして、神が在る人は悟後の修行に入りやすいのです。なぜならば、自分にとって絶対的なものが在るということは、絶対的なものに服従する意識があるからです。

悟るということは、下手をすると「俺が世界で一番だ」ということになってしまいます。「われはそれなり」だからです。そこで、神が在る、もしくは自分の師匠がいるといった、絶対的なものが自分にあると、道を踏み外すことはありません。「お前は確かにわかったかもしれないけれど、邪道に陥っているかもしれない。もっと生きとし生ける者に憐みの気持ちを持って接しなさい」とグルに言われたら、「わかりました」という感じになります。そうでなければ、そのまま天狗になっていってしまうかもしれません。

それが、世界中におかしなグルが存在する理由です。そして、それも含めて神のみこころですから、必然的でもあるわけですが、悟りが始まりであり、そこから悟後の修行が始まるのであって、その修行を成功させられるかどうかは、神がいるかグルがいるかにかかっていると、私は思っています。

V
愛

愛に説明はいらない
愛のひと触れで
魂は長い眠りから目覚める

これほどまでに甘美で
力強いものを
私は知らない

――神の愛と人間の愛は違うのですか？

愛を説明するというのは、鋳型を説明するようなものです。

たとえば、お寺の外に立っている弘法大師の銅像があるとします。あれは鋳物です。全部鋳型を取りますね。その姿を鋳型として取るために、高温に熱した融けた銅を流し込んでも溶けない、土や砂などで弘法大師の外側を作ります。

つまり、愛を説明しようとしても、愛の本体は説明することができません。その代わりに、鋳型の説明をするような感じになります。「これも愛だよ、これも愛だよ、それもあれも愛だよ」と。その鋳型を説明したときに「あぁ、なんとなくわかった。それが愛ね」と、そのような伝え方しかできません。

それは、愛も魂も神もすべて同じです。それそのものを説明することができないから、周りの説明をするしかないのです。私の話が長いのは、鋳型の話をしているからです。でも、その説明をしたときに、魂が何かを感じた「気がする」。それで、良いのです。気がしたのだから、それで十分なのです。その気配を自分の中に持っておけば、今度は自分が経験したことがそれに対する肉付けになってくるからです。そして、自分の経験を通して、「これはこういうものなんだな」と理解できるのです。

皆、それぞれ過去に恋愛の経験があると思います。思い出したくない過去もあるかもしれません。その思い出したくない過去は汚点なのか？　苦しみなのか？　というと、それもまた、本質を理解させるための構成要素なのです。

神と私の間の愛というものは、私と誰かのドロドロした過去の恋愛と比較して、別ものかというと、別ものではありません。けれど、やはり違います。純粋な神の愛をミルクだとたとえると、私たちの恋愛は、加工乳製品のようなものです。

愛に満たされたら欲望は生じてくることがありません。愛が満たされていないから、それを満たすために物欲にはまったり食欲にはまったりします。その他のもので自分の人生の喜びをなんとか補おうとするのですね。人間間の愛というのも、満たされ切れずにさらにその上を求めていくようになり、止めどなく「くれくれ……」という状態になってしまうわけです。それが人間関係のもつれになったりもします。

それでは、究極の愛がどこで得られるのかというと、これが「神の愛」なのです。それは、私たちが普段経験しているものを完全に超えた愛です。しかし、超えていたとしても、愛は愛です。純粋ピュアーな愛にだんだんマーヤが加わることで、ドロドロした愛になっていきます。これは、愛の脂肪分みたいなもの、余計なものがたくさんついた愛です。愛にヒエラルキーがあるのならば、頂点に存在しているのは神が持っている愛なのです。

ここで言っておきたいのは、「神の愛」という状態は、「愛」というよりも、どちらかというと「至福」という状態に近いということです。愛が純粋に極まっている状態は、愛というニュアンスとは少し異なります。愛というのは、極度に純粋な状態であったとしても、主体と客体の分離が存在します。自分から愛がブワーッと溢れ出ているときは、至福という状態です。

肉体を持った状態でその状態に到達して、その状態がずうっと続いていけば、肉体の消滅に繋がります。それが、ジーヴァンムクタという状態ですが、その至福の状態がある程度冷めてきて、この世界に戻ってこないとなりません。人間として活動するために。

その状態から戻ってきて人間として活動すると、自分の中で起こっていた体験というのは、すべての人たちに向けて放たれます。そしてそれは「愛」として表現されるのです。ですから、最も純度の高い愛を表現できる人間は、覚者しかいないと思います。悟った人だけが、純粋な愛というのを他の人たちに与えることができる。

そこまで行ってない状態では、グルが何を与えてくれているのか理解することができないでしょう。「なんだか、すごいパワーだな」「すごい慈愛のようなものを感じるな」とかね。人は、自分の経験した範囲内でしか判断ができないからです。でも、そのマスターが放っているものは、常人の理解を超えています。その愛の状態が、究極的な状態だと思います。

――なぜ愛が必要なのですか？

神は本来ひとつのものです。全宇宙というのは、ひとつのものであり、そして、ひとつの宇宙がこれだけ多くのものに分離している状態です。

この分離は神の意志によってそうなっているけれども、私たちはこの分離したものをまた、ひとつに戻していかなければいけない、還していかなければいけないのです。バラバラなものをひとつに繋いで、神という唯一のものに還っていくために必要なものが「愛」なのです。ですから愛というのは接着剤みたいなものですね。

子どものときから愛に満たされて育った人は、たいてい良い大人になります。でも、例外はあります。それは、試練を受けてきている魂の場合です。愛に満たされた環境であると、愛を求めなくなりますから、本質的な愛に辿り着くために、あえて愛を得たいと思うけれど、与えられない環境で育つという試練を負っている場合です。

愛に満たされて育った子は、幸せな現象を引き寄せて、幸せになって終わってしまう。しかし、愛に満たされていないと「愛とはなんなのか、何が幸せなのか」などと考えるようになります。そして神の探求に繋がり、究極の愛に到達するのです。

本当に人それぞれに、それぞれが理解するために与えられている出来事が起きます。そして、私たちの中に愛とはどういうものなのかが記録されて、自分にとっての「愛とは」

という感覚が生まれてくるのですね。

そして、それが究極的にどこに向かうのかというと、当然、答えはひとつ。神に向かっていくのです。そして神と対面したときに、そこに生じる愛、至福ですね。その状態を体験したときに、はじめて、この三次元の世界をはじめとして、すべてが存在する理由がここに在るということに気づくのです。

愛ゆえにこの世界は存在する。愛がなかったらこの世界は存在していないのです。神がこの世界を創造するけれども、神が私たちに教えたいことは、愛なのです。愛を基にしてこの世界は成り立っています。

もし愛がなかったら、この世界は存在しないのです。……これ以上の説明ができません。愛がこの世界が存在する根本原因だということです。愛が、神にとっての動機です。愛が、この世界を存在させるのです。

神が愛を思わなかったらこの世界はないのです。絶対者は存在したとしても、絶対者がただ存在するだけになってしまいます。この世界にはなりません。

私たちからすると、神にとっての動機が愛だといっても本当かどうかわからないし、ほとんどの人にとっては、どうでもよいことかもしれません。神が愛を動機に人類を創っているとはまるで思えないかもしれません。しかし、本当の神を体験したら、愛以外の何ものでもないのです。

「智慧」は説明することができます。だから賢く見えます。ところが、「バクティ」や「愛」は、説明することができません。説明することができないから、中身がないと思われたりすることがあります。ところが違うのです。中身はぎっしり詰まっているのです。中身はぎっしり詰まっているけれど、説明することが不可能だから、「とにかく神を愛しなさい」としか言うことができないのです。

――バラバラになる力も愛ではないのですか？

もちろんそうです。そのあたりになってくると、究極の愛になってきます。愛によってすべてがバラバラになって、愛によってすべてのものがひとつになっていくというプロセスがあります。それは、神が経験したいからそのようにしたと言う人もいますが、私にとっては、それはどうでもよいのです。神が何を考えているかは、わからないことだからです。

私たちは愛を通してしか、還るべき場所に還ることができません。大事なのは愛です。それは論理的ではない、言わば、ばかみたいな話です。小さい子が「ママ、ママ」と言ってお母さんの後をついて回るように、理屈ではないのです。

——愛という言葉が持つニュアンスが、どうしても人間的な結びつきのように感じられてしまいます。

「神」という言葉には、難点がひとつあります。それは、神が形骸化してしまうということです。形骸化すると、もはや神ではなくなってきてしまいます。それに対して、「それ」とか「愛」というのは、掴みどころがありません。その、掴みどころがないところが良いのです。

頭で理解していく性質は、全く悪いことではありませんが、それで終わると頭の理解で終わってしまいます。その先に行かないといけないわけですから、多少時間がかかったとしても、愛のなんたるかの先に入っていったときに、言葉とか理屈とか一貫性とか理にかなっているとか、そういうものをすべて超え、愛がすべてを凌駕していく境地を経験できる地点があります。そうするとすべての思考は崩壊します。

——それが悟りというものですか？

それも一種の悟りの形です。しかし、悟りの形を定義することは難しいことです。それは、その人が答えだと思えばそれが悟りだからなのです。

ですから、愛を経験したときに、「俺が求めていたのはこれだよ！　世界はこれでできていたんだ！」という答えになれば、それがその人の悟りですし、「これは、すごいマーヤだな。これがマザーのリーラ（戯れ）と言われるものか」と、世界を動かしている動力源として愛を捉えるかもしれません。

つまり、その人がそれを捉えたときに、その人の中でどういう鳴り方をするかが、悟りになるかならないかの違いだと思います。もし、子どものころから愛が欠如していた人がそれを体験したら、それは間違いなく答えになるだろうし、人生とは何かを求めていた人にとっては、論理的な結論の方が合っているのかもしれません。

間違いなく言えることは、愛は一種のドラッグだということです。愛というのはエネルギーですから、「ぶっ飛ばす力」があるのです。この縛られた現実の世界を本当に超越するようなエネルギーの原動力になるものです。

あとは、「調和をしよう」という意図を持っていることが大事です。調和するべき対象に寄り添うことができるからです。寄り添えば、それが有しているものを受け取ることができます。それを受け取ることができると、和合が起こります。

例えば、木をただぼうっと見ているのと、調和しようと思って見るのとでは、もらえるものが違ってきます。その木が持っているバイブレーションと自分のバイブレーションを合わせることができると和合が起こります。良いものとも悪いものとも調和します。

例えば、寝ている赤ちゃんと調和しようとすると良いのです。赤ちゃんと和合が起こってしまったら、ものすごい……。赤ちゃんはドラッグの塊のようなものですから。その赤ちゃんを見て、「いい子だね」となでていると、ものすごいものがやってきます。赤ん坊はあちらの世界から来たばかりだから、向こうのバイブレーションをたくさん持っているのです。

お母さんと赤ちゃんが何かをやっているときに、調和の触手を伸ばしてみると、お母さんが自分の赤ちゃんに対して抱いている気持ちを盗むことができます。特に男性は、母性を経験することがないので、盗むしかありません。人間の世界にはいろいろな愛があるけれど、母親と赤ん坊の愛は一番純粋な愛に近いのです。


哲学的なものや論理的なものは高尚に感じるけれど、実際に愛に打たれて愛になってしまうと、そういうものがくだらないのです。この世界はないとか、起きていないとか、そういうものは実にくだらない。「せっかく私たちは生きているんだ!」という話なのです。

この世界には意味があって、それを経験することこそが至福であるということです。そして、これを与えてくれる神の恩寵というのは、ものすごいギフトなのです。これをぜひ感じてもらいたいのです。これは知らないと損です。もちろん損得ではないけれど、そこまで行く経験をぜひ皆さんにはしてもらいたいと思っています。これは、皆で分かち合える得なのです。いろいろとありますが、私が伝えたいところはそこなのです。

──「バクティ」（神への信愛・帰依）はどのようにしたら良いのかについて教えてください。

最も簡単な方法があります。問題は私たちの注意力にあります。注意力が何に向かうかということが、私たちの意識を左右することになるからです。

バクティ、つまり、私たちの注意力を神や絶対的なものに結びつけるのに良い方法は、インドではジャパ・ヨーガと言われますが、ジャパ（神の名前やマントラを繰り返すこと）をすることです。

私は、マントラではなく「神様」という言葉をすすめています。マントラなどの異国情緒をたっぷり含んだ言葉があって、数珠を持って唱えたりすれば、やっている感じはするでしょう。しかし、最も手っ取り早いのは「神様、神様、神様……」と連呼することなのです。なぜなら、私たちは「神様」という言葉を、小さい頃からよく知っているからです。振り返ってみてください、知っているはずです。一度は、真実だったのです。神様とサンタさんは、絶対にいると思っていたはずです。大きくなるにつれて、だんだん「神様なんていないよ、サンタさんはお父さんなんだぜ」と、すれてくるわけですね。ついに神様も信じない、すれっからしのようになってきてしまいます。

そして大人になって、自分が苦しい思いやつらい思いをしたときに、再び、神様はいるのではないか、という世界に立ち返ってくるわけです。しかし、子どもの頃のようには信じきれないかもしれません。子どもの頃の方が、純粋に神様を信じていたでしょう。その感覚が欠けてしまっているわけです。

それでは、どのようにしたらその感覚に近づけるかというと、それが昔馴染みな言葉を使う方法なのです。「オーム・マニ・ペメ・フム」やその他のマントラは、私たちの心に染みついていないのです。それよりも「神様」と言うと、自分の心の中の深いところに届くのです。それは、子どものとき、ひとたび疑いなく信じていたものだからです。「神様」と言ったとき、「神様」に届くはずなのです。

「神様」という言葉を聞いたとたんに否定的反応を示す人もたくさんいます。ですから、私もむやみやたらにその言葉を乱射しない方が良いと言われているのですが、「バクティ」だったらやはり「神様」という言葉が良いのです。

夜、天を仰いで「神様、神様、神様……」と数分でもリピートする。そうすると、どんどん繋がってきます。下手なお経を読むよりもずっと良い。お経を読んでいる間に違うことを考えているのでは、意味がないのです。それよりも、魂を込めて「神様」という言葉を丁寧に唱えることが最も効果的な方法だと思います。

自分自身が神を認識するためには、神を現実とすることが求められます。ですから、神を現実とする練習をすることが必要です。神を現実とする練習は、まずあなたの名前を呼ぶことから始めます。「神様」という言葉は、私たちの心の深くにもう既に在る言葉ですから、その言葉を繰り返すことで近づくことができます。今日帰ったら、本当にやってみてください。すごく近づける感じがすると思います。すごくリアルな感じがすると思います。

「神様」という言葉を使うことで特定のイメージが出てきてしまう場合は、神を表す他の言葉を自分の中で挙げていっても良いかもしれませんね。永遠なる者よ、偏在者よ、絶対者よ……と、毎回言葉を変えても良いと思います。

無駄だと思わずに発信し続けること。祈りは発信、瞑想は受信です。祈りによって発信したものを瞑想によって聞くようなイメージです。発信することと受信することを、自分自身の自覚も含めて両立して行うのが良いと思います。

祈りはどういう言葉を言わなければいけないということはありません。そのときに思いつく言葉を祈りにした方が良いのです。その日に正しい言葉が使われると、その瞬間に「来た」という感じになります。毎日やっているとわかるようになります。

――普通に暮らしている中で、どのような意識を保っていれば神を迎え入れる準備ができるのでしょうか？

一番手っ取り早い方法としては、神のことを好きになることです。神のことを想っていたくて想っているという状態を作るのです。神のことを想っている時間を増やさなければいけないということではなく、好きだから想ってしまうという状態にすることですね。好きな人ができたら、自然にその人のことを考えてしまうように。

神のことが大好きになると、一日に何度もニヤッとしてしまいます。それはまさに、恋人を想うようなものですね。

ラーマクリシュナも「神様を恋人のように想いなさい、そうすれば三日あれば悟れる」と言っています。それくらい熱烈に愛しなさいということですが、それくらい熱烈になれなかったとしても、神を概念として捉えるよりも、実体として捉えると良いのです。日常でふっと思い出すことが増えてくると、無努力でいられるからです。対象は、ラマナ・マハーリシでも良いのです。ラマナのことを思い出すとニヤッとするような状態になれれば良いのです。

基本的に仏様のマントラを唱えることでもなんでも、実際はそれを想う時間を増やすということを目的としています。チベット仏教にも魅力的な菩薩や仏がいて、チベットの人たちは皆、数珠を首から下げたり手に持ったりして、一日中マントラを唱えています。店番のおじいさんでも、常に「オーム・マニ・ペメ・フム」と唱えています。チベット人は本当に日常がそれと共に在るという感じです。
ですから、それを好きになるのは実在として捉えた方が良いし、人格神もある程度考慮に入れても良いかもしれません。マザー（根源的な母なる神）でも、カーリーが良いか、サラスヴァティーが良いか、この神様を帰依の対象にしたいなというものが定まってくると、楽に自然と思い出せるようになります。神を観念的なものではなく、より現実的なものとして捉えた方が思い出しやすくなります。
なぜ当たり前のことのように考えられないかと言うと、その習慣が身についていないからです。ですから、コツを覚えてその感覚が自分にとってなじみの深いものになってくれば、これほど簡単なものはありません。好きなものを考えることは当然のことですからね。

――自分の内なる神を想うことと、外に神を想うことに違いはあるのですか？

ラマナ・マハーリシは、「真我、真我」と言い続けました。私も「そうだ、当然真我だ」と思います。しかし、しばらくすると私の中でそれがマーヤになってしまうという経験をしました。そこで、なぜマーヤになったのかと考えると、私自身のことというよりは、私が皆さんに教える際に押さえておかなければいけないことを神が教えてくれていた、というところに至りました。

つまり、自分の真我を見ようとすると、探求の段階では、自分の真我とエゴとの混同が起きる可能性があるということです。どれが真我でどれがエゴか見分けるのは、探求の途中にある者にとっては難しい場合があります。真我に向かおうとして自分に向かうと、エゴにフォーカスがなされてしまい、自分の中のエゴの働きを強めてしまう可能性があるわけです。つまり、真我にフォーカスをして、例えば「我神なり」という捉え方をした場合、自分の中の「慢心」に触れてしまう可能性があるということです。

それでは、真我ではなく神にフォーカスした場合、今度は神を自分の外側に捉えることで、それがマーヤになる可能性があります。真我よりも良いところがあるとすれば、「絶対的なものに対しての自分」というものが存在しているところです。そこには、明け渡そうとしている自分、絶対的なものに対して服従しようとしている自分が存在します。そこに、慢心は生まれません。しかしその一方で、外に神を見ていると、「自己否定」が出てくる可能性があります。それは、「絶対」という神の前で、自分は無力だからです。その無力さを強く感じると、それが自己否定に繋がってしまうのです。そこで、神に対して無力であることに抵抗がなく、「自分は虫けらなのだ」という開き直った態度で神に向かうことができるのなら、エゴの働きは弱まり、神に反抗することもなく、その人はバクタ（神を愛する者）になります。

一方で、「我神なり」と自分にフォーカスして、慢心が生まれた場合でも、そのエゴを取り除いて本当の真我に辿り着くと、その人はジュニャーニ（智慧者）になります。ですから、たとえ慢心になろうと、自己否定に陥ろうと、自分にとってやりやすく、盛り上がることができる方法で捉えれば良いのです。

マーヤを解いていき到達する本質的なレベルでは、外に神を見ようが、内にそれを見ようが、それらはひとつのものです。別々に捉える必要は、本来はありません。ですが、今の段階では、人間の認識は、自分の外か内かしか捉えることができないために、当然どちらかのモードになってしまうのです。認識作用に中間はありません。当然、神を求めるにあたっても、内か外のどちらかにそれを見るのです。

本質的には内も外も一緒ではありますが、それは実に「わからないとわからないこと」なのです。ですから、そのときのモードで変えていって構いません。今日は内側モードだなと思えば良いし、午後から外側モードになれば良い。そのときどきに合わせて、自分が変わっていけば良いのです。

秘密の木があります。それは、精神の木と言えるものです。精神の木というのは意図的に育てていかなければいけないのです。それに対して、生命の木は本能で勝手に繁殖するシステムを持っています。人間は大人になったら本能で生殖活動をして子どもをつくったりしますね。

──グルから教えを受け取るとは、どのようなことですか？

私はインドやチベットに行って、いろいろな人から精神の木の種を授かり、それに一生懸命水をやって育て、悟りという花を咲かせて、今は実ができました。実からは種ができます。そして、皆に精神の木の種をばらまいています。そして、皆さんがその種を受けて、その精神の木を自分で育て、花を咲かせて、また実をつけていけば良いのです。どんな種ができるかはわかりません。もしかすると、桃や梅のように一個だけの種の実がなるのかもしれない。つまり、誰か一人にだけ精神の種を伝えるという人もいるかもしれないし、世の中では種なしの実というのもありますから、誰にも伝えずに自分だけ、という人もいるかもしれない。あるいは、メロンやスイカのように種ばかりの果物もあります。私なんかはこのタイプです。飛ばせるほどの種を持っているのが私の実だったわけですね。

悟り、悟り、と言うけれども、悟りは花が咲くところですから、実は大して重要ではありません。悟ってからどう生きるかという、その生きざまによって実ができるわけですから、大事なのは悟ってからのちの実の育て方なのです。花が咲いても実がならなかったならば、わびしいのです。ですから、悟りはひとつの通過点だと思えば良いのです。

ブッダであっても、悟ったことが大事だったのではありません。教えを説いてたくさんの弟子を育てたことが大事なことだったのです。二千五百年にわたって仏教によって救われた人がたくさんいます。彼にとっては教えを説くことが大切なことであり、悟りはただの通過点です。イエス・キリストにしてもそうです。多くの人が、彼の教えによって救われたのですから。

すべての聖者にとって、悟りはただの通過点にすぎないのです。自分が何をすべきかに目覚めるという、ただそれだけのことです。ですから、悟るとか覚醒するということを大仰に考えず、通過点だと思えば良いのです。そして、自分にとってどのような実を結ぶかということの方が大事だと思っておけば良いのです。その実から採れた種が蒔かれて、新たな種を結ぶことに繋がっていきます。

私もいろいろな人から受け取った種を自分の中で育て、このように皆さんにもばらまいていますが、蒔かれた種に水をあげるのは皆さんの仕事です。毎日欠かさず水をあげてください。マーヤ解きやお祈り、瞑想を毎日やってくださいというのは、私の蒔いた種を枯らさないでください、ということです。そして、このように話すことで、肥料をあげたり、剪定をしたり、害虫を取ったり、より良い実をつけるようにすべきことを私がします。

神の摂理と植物は同じだと思うのですが、それに関してひとつ面白いことがあります。害虫がついたら、それを取り除きますね。しかし、芋虫はそのうち蝶々になります。蝶々は花から花へ花粉を運んで受粉させます。そのようにすることで、植物は広がっていきます。ですから、芋虫は葉っぱを食べて害を及ぼす存在かもしれませんが、成長したときは、その植物が広がるように貢献をしているのです。

この害虫というのが、マーヤや魔の存在にたとえられます。せっかく育った芽を食べてしまいかねないものだからです。しかし、「あそこでマーヤにやられていたのは、みこころだったんだ」と、後になってわかります。ですから、芋虫もマーヤとしての役割をちゃんと果たしていて、それがみこころだということになります。

――ラマナ・マハーリシのようなグルについてどのように思われますか？

「私がいつなくなるのですか？」とラマナが弟子に言ったというエピソードがありますが、ラマナは、ほんとうに死んではいないのです。ラマナの写真を持っていたら、全員のところに生きています。地球上にどれだけの写真があったとしても、あれほど愛のほとばしっているポートレートはありません。なぜあの写真にあれだけ魂が吹き込まれたかというと、それは、ラマナが愛以外の何ものでもないからです。

ラマナは愛についてあまり口にはしていません。それは、愛について話すと二元的になってしまうからです。ラマナには一元的なアプローチをするというみこころが働いていたから、ことさら愛については話さなかったのかもしれません。しかし、彼から伝わってくるのは、ものすごく純粋でピュアーな愛です。この世界はイリュージョンだとか、アートマンに留まるとか、そのようなことは、その愛の前ではどうでもよいのです。それくらいラマナの愛というのはすごいのです。

彼の教えは生きた愛です。ですから、ラマナとラーマクリシュナには何の違いもありません。言っていることのニュアンスは違うけれど、二人から出てきているのはほとばしる生きた愛です。そのようなものを感じさせる人は、今なかなかいませんね。

――生きているグルに価値を置かれますか？

置きません。そして、それほどインパクトのある人は今の時代にはあまりいないと思います。しかし、これもまた、バランスなのです。

ラーマクリシュナやラマナがいた時代は、戦争があり、世界中すべての人が不安や苦しみ、悲しみ、そういったもので気が狂わんばかりの状況でした。もし、そういう恐怖が地球上を覆ったら、人間は崩壊していたと思います。その浄化装置がアヴァタール（神の化身）だったと思います。シルディのサイババやラーマクリシュナ、シヴァーナンダ、ラマナ・マハーリシなど、当時のマスターたちにはどの人にも会ってみたいと思います。完全に世界の苦しみをあの人たちが浄化していたのだと思います。

今は、世界の苦しみを受け取って、それを浄化して返す力を持っている人を、世界が必要としていないのでしょう。ですから、この人の下で学びたい、この人と寝起きを共にして学びたいというマスターが今なかなかいないのではないかと思います。

ダライ・ラマたちと一緒にインドに亡命した時期のラマたちは、本当にすごい人たちでした。祖国を追われて亡命するというのは、国としては本当に一大事です。そのときにチベットの民衆を引っ張れるだけの人がいなければ、亡命政府も成り立たなかったでしょう。皆、物乞い同然で逃げてきて、それでもなぜ生きてこられたかというと、そのような素晴らしいラマたちが、自分たちと一緒に生きてくれていたからですね。

——先生は一目見るだけでその人の状態がわかるのですか？

それは、どれだけその人と私のエネルギーの交流がスムーズかどうかによります。

私の場合は、自分の中にその人の状態が入ってくるので、その状態を観察することによってその人の状態を見ます。そのために必要なのは、エネルギーの流れがスムーズであることなのです。

緊張がある場合はそのような交流が難しいので、緊張を取り除くために笑わせ、リラックスさせます。リラックスができて、私に対しての親近感がその人の中に湧いたときに、その人の状態が私の中に入ってきます。そのときにはじめて状態がわかります。

疑いや敵対などがあって、どうしても私に合わせられない人は、難しいのです。ですから、疑いや敵対はひとまず脇において、今は、私に対して自分をひらきなさいと思います。皆さんの方も私と繋がろうとする努力をすると、それは、私の中に入ってきているもうひとつの意識ともまた同時に繋がることになります。

相互性が出来上がってくると、明確なことを言わなくても理解できるようになるということが起こってきます。言葉だけでは理解できなくても、エネルギーが伴ってくることで理解できるのです。それは、魂で理解するということです。

昔から「師を愛しなさい」ということが言われますが、「愛しなさい」というよりも、「繋がりなさい」ということなのだと思います。

――今日お会いしていると、いつもと違う感覚が体の中にある感じがします。

そうやって自分の中で胎動が始まってくるのです。自分の中から、もう一人の自分が生まれてくる。そして、そのもう一人の自分が、今までの自分に取って代わって生きるようになる。それが覚醒ということです。

私が自分で経験してきて思うことですが、本を読んだり、自分が努力したりするのではなく、それというのは与えられるのです。では、どうやって与えられるかというと、それが与えられるツールを通してひとつになるということなのです。

神の存在が在ることはわかるけれども、それをどのようにリアライズできるかが問題です。神をわかっている人がそこにいれば、そこに神は常にリアライズされます。私は、自分がわかったときに、すべてこれを通してこれから現れるということがわかりました。でも、なかなかそこに気づく人は少ないのです。

私はくだらない話をたくさんするので、「なんでこんな話ばかりするんだろう……」という人もいます。しかし、私がなぜこのような方法を選んでいるかというと、まじめな顔をして、まことしやかな話をするよりも、もっとラフに真理を伝えたいと思うからです。

今、時代は変わっています。私はいろいろな話をしますが、私自身が与えているものは、言葉ではなく、私を通して流れるエネルギーです。それは、私だけではなく、神のことをわかった人は、皆それをやっています。ラマナ・マハーリシのように沈黙を通してそれを伝える人もいれば、弟子をひっぱたくことで伝える人もいた。そして私のように、機関銃のように喋りまくる人間も、今はいるのです。

私は何千語という言葉を乱射していますが、どんな話をしても行き着くところはひとつ。永遠の最高の非顕現のものの智慧であり、それを皆さんに経験してもらいたいという願いです。その願いが私から皆さんに発せられる段階で、まずエネルギーとして伝わり、その後に言葉として伝わっていきます。ですから、頭で理解するのではなく、エネルギーで理解するということです。思考ではありません。そして、エネルギーがわかったら、思考は従うようになります。

私自身がそのエネルギーでわかったので、そのエネルギーによって皆さんがわかることを願っています。

愛のない行為は
不毛である

しかし、愛があれば
あなたはすべてを
達成させることができる

愛を育むこと

これは何より
最優先されなければならない

それこそがまさに資質となる

あなたはまだ本当の愛を知らない
なぜならば、もし
本当の愛を経験したならば
あなたは、もはや
あなたではなく
かれだからである

編集者覚え書き

「私自身のこと」で触れられている通り、岩城和平先生は幼い頃から宗教的な独特な人生を歩み、若くしてインドやチベット圏にまで赴いて修行を続けられました。そのような人生が当然続くのだと、あるときまではご当人も信じて疑わなかったのではないでしょうか。しかし帰国後、社会生活の中で、それまで身を捧げていた信仰の道をいったんすべて放棄するに至ります。

本文ではその時期をして「そこで経験したことは、ゾクチェン（チベット語で「大いなる完成」を意味する境地）の仕上げであるかのようなエネルギーとの格闘だった」と記されています。

さらに、「すべてが終了すると、今まで皆無だった手助けがあらゆる方面から私に伸びてきました。何かがあらゆる手段で私を救済するために働いてくれているのがわかるのです。……この見えない愛による導きが、最終的に私を究極的な理解へと導いてくれました。私がかつてインドで学んできた内容とは異なるものですが、これが、我が師が言っていた『日本人のための教え』なのだということを私は理解しています」と記されています。

その後二十年以上にわたり、経験を通してご自身が直観した真理を伝え続けてこられました。そして、それらを本にしていこうという話が数年前に持ち上がり、このたび、このような形にまとめ上げることが叶いました。

大っぴらに宣伝されることもなく、しかし、そこに咲く大輪の花のかおりをなんらかの形でキャッチした人々が集い、笑いと愛とに包まれる場が、このような年月維持されてきたことが、なんでも公開され宣伝され消費にさらされる現代にあって、特異なことだろうと思います。

そして今回、その教えがこのような書籍として日の目を見るにあたっては、大きな時代の変化の潮流と共にあるに違いないという希望を抱いています。

和平先生の主宰する場には、「母」のエネルギーが充満しています。すべてを創造した根源のエネルギーをして、先生は「お母さん」と呼びます。誰にとっても懐かしい響きであるその言葉を胸に抱くときに覚える、あたたかさ、厳しさ、パワフルさ、それらを兼ね備えた実体が、まるでそこにあるかのように感じられるのです。

「自分は空っぽである」「質問によって自分の口を介して答えが自動的に出てくる」と口にされる通り、先生を媒介するようにして、言葉と共に莫大なエネルギーが溢れ出します。参加者はそのエネルギーに圧倒され、理解を促され、酔い、その「源」へと想いを馳せます。

そして、私たちの日常もまた、毎瞬毎瞬が「それ」と共にあるのだという認識に引き戻されるのです。

この本に記されているのは、「それぞれの人生が、自分の一歩先を歩く導師（グル）である」という言葉の通り、各々の人生を通して「それ」を理解していくための、生きた智慧の伝承であると思います。

どのような人生であっても「それ」へと通じていて、自分を深く知っていくことが、「それ」へと至るための鍵になる。私は今までそのような教えに出会ったことはありませんでした。そして、思考を止めるのではなく、理解のために使い、現象世界を否定するのではなく、存分に豊かに味わいながらも、何が本当で何が本当でないかを見分けていく。そのようにして人生と「みこころ」とを繋ぎながら日々を送れることは、それだけで、大きな救いになると思ったのです。

この現象世界に生きることを徹底的に肯定し、愛するための「母の教え」に基づく本書とこれから刊行される予定の続編は、この世界という変幻自在の修道場で生きる私たちにとっての、ひとつの手引書になっていくことだろうと思います。

「講話と問答」部分の編集にあたりましては、膨大にある過去の講話の録音から、質疑応答について書き起こし、まとめています。ひとつの質問から展開するお話は、参加者の理解に容易に届く日常の他愛もないたとえ話から、神や悟りに至るまで、多岐にわたります。それらをテーマの枠に合わせて切り取るということは困難であり、また味わいを欠いてしまいますので、テーマ越境的である部分はご容赦いただけたらという思いです。

また、現在に近づくほどに、参加者の方々の質問も、「マーヤ」や「みこころ」、宇宙の創造の根源としての「母」や、ブッダやキリストすら惑わせた「魔境」への理解を含んだものになっています。特に後二者に関しては、極めて身近なものであり、重要なものではありますが、一冊の本に盛り込むにはあまりにも濃く、また話が複雑になりすぎてしまうため、次作『母の力』(仮題)以降で詳しく取り上げていくことにいたしました。


はじめて聞く話や言葉、そしてその世界観があるのではないかと思いますが、字面の理解に留まらず、その場のエネルギーをも行間から感じ取っていただくことができたのなら、編集した者としては、大変うれしく、また、幸いに存じます。

本書の編集・発行にあたりましては、さまざまな方に力を貸していただきました。この場を借りて深くお礼を申し上げます。

本書が、必要な方々の手に届くことを心から願っています。

二〇二一年八月末日

蓮華舎　大津明子

著者
岩城 和平
（いわき・わへい）

1965年東京生まれ。俳優の両親の元に長男として生まれる。ベトナム戦争のまっただ中、反戦運動をしていた両親が、世界平和の願いを込めて"和平"という名前をつける。幼少期より度重なる臨死体験とその体験よりもたらされた感覚によって、神秘の世界に目覚める。

8歳のときに弥勒菩薩との遭遇により歩むべき道を確信し、13歳からはキリストを愛し、日々祈りの中で過ごす。15歳でヨーガと出会う。この頃、平和運動、教育、環境問題と関わり、17歳で人生のテーマは平和の実現だとわかる。平和運動もしていたが、もうひとつの自分の中の宗教的感性によってインドへと導かれ、ビハール・スクール・オブ・ヨーガ主宰、スワミ・サッテャーナンダ師の弟子となり、21歳までヨーガの修行をする。師の助言に従い仏教の勉強を始め、しばらく師を探す旅をする。のちに、チベット仏教のサキャ派の法王であるサキャ・ティチェン師と出会い、師の元で修行が始まる。26歳からは、運命的な出会いを通して、チベット仏教四大ラマの一人であるニンマ派最高峰の生き仏、ミンリン・ティチェン師の弟子となり、ゾクチェンやその他の教えを学ぶ。師から、役目は日本にあると言われ帰国。29歳から日本での本格的な生活が始まる。

35歳のときに恩寵により人生における疑問のすべてが解消し、以来、自らの人生での経験や理解を通して得られた知識を教える日々を過ごしている。

恩寵の力
必然性に導かれた人生の答え

2021（令和3）年10月20日　第1刷発行

著者
岩城 和平

発行者
大津 明子

発行所
蓮華舎
Padma Publishing
〒102-0093
東京都千代田区平河町2-16-6 jeVビル
TEL：03-6821-0409
FAX：03-6821-0658
HP：https://padmapublishing.jp/

印刷・製本
株式会社シナノパブリッシングプレス

Printed in Japan ISBN978-4-910169-05-7 C0010